S0-ASN-830

汉译世界学术名著丛书

会饮篇

〔古希腊〕柏拉图 著

王太庆 译

商务印书馆

2017年·北京

ΠΛΑΤΩΝ

ΣΥΜΠΟΣΙΟΝ

根据 *Platonis Opera* (Scriptorum Classicorum Bibliotheca Oxoniensis),
ed. by. John Burnet, The Clarendon Press, 1984 年版译出

汉译世界学术名著丛书
出版说明

我馆历来重视移译世界各国学术名著。从20世纪50年代起，更致力于翻译出版马克思主义诞生以前的古典学术著作，同时适当介绍当代具有定评的各派代表作品。我们确信只有用人类创造的全部知识财富来丰富自己的头脑，才能够建成现代化的社会主义社会。这些书籍所蕴藏的思想财富和学术价值，为学人所熟知，毋需赘述。这些译本过去以单行本印行，难见系统，汇编为丛书，才能相得益彰，蔚为大观，既便于研读查考，又利于文化积累。为此，我们从1981年着手分辑刊行，至2012年年初已先后分十三辑印行名著550种。现继续编印第十四辑。到2012年年底出版至600种。今后在积累单本著作的基础上仍将陆续以名著版印行。希望海内外读书界、著译界给我们批评、建议，帮助我们把这套丛书出得更好。

商务印书馆编辑部

2012年10月

会 饮 篇[1]

（或《论爱情》，伦理的）[2]

谈话人：阿波罗陀若[3]、朋友

St. Ⅲ

172A

阿波罗陀若：你现在问的那件事，我心里还是有底。因为不久以前我刚从帕雷戎[4]我的家里进城，有一个熟人在后头望见我，就远远地用开玩笑的口吻喊道：

"阿波罗陀若，你这个帕雷戎佬哇，怎么不等等我？"

我就停下等他。

B

他对我说："阿波罗陀若，前不久我找你，是因为我希望详细地知道，苏格拉底和阿伽通[5]以及阿尔基弼亚德[6]。

---

① συμπόσιον（会饮），一种礼节。如为庆祝某事举行的典礼，有酬神的仪式，仪式后参加的人在一起饮酒，边饮边谈，称为会饮。会饮这个词后来为拉丁文吸收，称为symposium，成了座谈会的意思。——译注。本书凡未特别注明者，皆为译注。

② 公元1世纪柏拉图学派的Θρασύλος编订柏拉图文集时所加的副题。

③ 'Απολλόδωρος，苏格拉底的一个学生。

④ Φάληρον，雅典城外的一个地方，离城约三公里。

⑤ 'Αγάθων，悲剧作家。

⑥ 'Αλκιβιάδης，曾经当过苏格拉底的学生，后来成为出卖雅典的人。

等人在会饮中讨论爱情的经过究竟如何。有人从丕利波[①]的儿子沛尼各[②]那里听说过这件事，说这件事你也知道，他说的不很清楚。所以要请你给我谈一谈。因为你转述你朋友的话当然比谁都合适。”他说：“首先请你告诉我，那次聚会你本人参加了没有？”

C 我回答道：“那位向你转述的大概说得很不清楚，否则你就不会以为那次聚会是新近的事，问我是不是参加了。”

他说：“我原来以为很近。”

我说：“怎么会很近呢，葛劳贡？[③] 你不知道阿伽通好

173A 多年就不在这里了，而我跟苏格拉底在一起，向他请教，天天获悉他的一言一行，还不到三年光景。在这以前，我在各地转来转去，自以为做了点事，其实很不行，比谁都不如，和你一样以为干什么都比爱智慧强。”

他说：“别挖苦人啦，告诉我那次聚会是在什么时候吧。”

我说：“那时候我们还是毛头小子，阿伽通的第一部悲剧得了奖，为了庆祝，他和他的歌队在第二天举行了酒会。”

他说：“看来那是很久以前的事了。是谁跟你说起

B 的？是苏格拉底本人吗？”

---

① Φιλίππος.

② Φοίνικος.

③ Γλαύκων，柏拉图的兄弟，本篇中与阿波罗陀若对话的人。

我说："宙斯在上，不是他，就是那位告诉沛尼各的人，一位名叫阿里斯多兑谟[①]的居达特奈人[②]，一个矮个子，总是赤着脚，他参加了那次聚会，是当时崇拜苏格拉底最为热烈的人之一，如果我没有看错的话。我后来问过苏格拉底，事情是不是像他说的那样，苏格拉底说确实如此。"

他说："那你是不是可以给我说一遍？进城的路上我们正好说说话。"

于是我们一路谈着那件事；所以我像前面说的那样，对那件事还是心里有底。要我给你说一说，我准能办到。自己谈论爱智慧的事，或者听人谈论这方面的事，我认为这样做给我带来乐趣；至于别的谈话，特别是你们这些富户和有钱人的谈话，我觉得索然无味。我也怜惜你们这帮朋友，因为你们自以为做了点事业，其实毫无价值可言。也许你们也在怜惜我，认为我不中用，我却认为你们是自以为是；我不仅认为你们不行，而且知道你们不行。 C D

朋友：阿波罗陀若啊，你永远是那个老样子。你总是责备你自己，责备别人，我看你是认为所有的人都十分可怜，包括你自己在内，只有苏格拉底不是这样。你怎么得到那个绰号，人家怎么叫你软蛋，我不知道。可是你的言

① ’Αριατόδημος.

② Κυδαθήναιεύς.

论总是另外一个味儿，骂你自己，骂所有的人，只有苏格拉底除外。

E **阿波罗陀若：**朋友！难道我对我和你有那样的想法，就显然是发了疯，神经错乱吗？

朋友：阿波罗陀若，我们不必现在就在这个问题上争吵起来。我问你答是没有什么问题的，你还是给我说说那次谈话是怎样进行的吧。

阿波罗陀若：当时的谈话经过大概是这个样子……不过我还是把这件事按照阿里多兑谟所说的原样从头到尾给你复述一遍为好。

他说他在路上遇见苏格拉底，洗得干干净净的，还穿了鞋，这是很少见的事。他问他到哪里去，打扮得那么漂亮。

他回答道："到阿伽通家赴宴。昨天他庆祝得奖，请了我，我没去，怕人太多。我答应今天去。我打扮得干净

B 点，是为了漂漂亮亮地去看一个漂亮人。你怎么样，阿里斯多兑谟，跟我一道去赴宴好吗？"

他说："我遵照你的吩咐。"

苏格拉底说："那很好，跟我走吧。那样我们就可以借用一条谚语，把它倒过来说，每逢好人[①]开宴，好人不请

① ἀγαθῶν，希腊文原意为"好人家的"，而阿伽通的名字就是这样写的。

自来。其实荷马也借用过这条谚语,只是把它曲解了。他把阿伽门农[①]写成战争中一个精明干练的人,而把梅内劳写成一个软弱无能的操戈手,可是有一次阿伽门农设宴,并未邀请梅内劳[②],他却不请自来赴宴了。这样看来,就是让不大好的人赴好人的宴会了。" C

他听到这番话就说:"苏格拉底,以我这样一个没有什么价值的人,作了一个聪明人的不速之客,恐怕不像你说的那个意思,倒像荷马说的那样。你带我去赴宴,得说出个所以来。我不肯承认自己是不速之客,只能说是你邀请来的。" D

他说:"两个人一道走,总有一个先想出拿什么话来说的。我们去吧。"

阿里斯多兑谟说,大概在说了这些话之后,我们就动身走了。苏格拉底心里想着一件事,不觉落在后面。我在等他,他喊我只顾先走。我走到阿伽通家,发现大门开着,遇到一件很可笑的事情。我一到,就有个仆人出来迎接我,把我领进正屋,别的人已经入座,正在准备用膳。 E

"阿伽通一望见我就说:'哎呀,阿里斯多兑谟啊,来跟我们一同吃饭吧。你要是为了什么别的事来的,请你

---

① 'Αγαμέμνων,《伊利亚特》中希腊联军的统帅。

② Μενέλαος,阿伽门农的兄弟,斯巴达王,也是联军将领之一。

把它放到以后再说吧。我昨天找你,邀请你来,可是没有找到。苏格拉底呢,你怎么没带他来?'

"我回头一看,不见苏格拉底的影子,就说:'他确实是和我一道来的,我来还是他邀请的呢。'

"他说:'很好,你陪他来很好,可是苏格拉底到哪里去了呢?'

175A "我说:'刚才他还跟在我后面,他怎么没有来,我也觉得奇怪。'

"听到这话,阿伽通就对一个仆人说:'小子,你没有看到苏格拉底,把他领进来吗?'又说:'阿里斯多兑谟啊,请挨着鄂吕克锡马柯[①]坐。'

"一个仆人给我洗了脚,让我舒舒服服地躺下。另外一个仆人进来说:'那位苏格拉底已经来了,没有进来,站在隔壁的前院里,我喊他,他不肯进门。'

"阿伽通说:'真是怪事!你再去喊他,不要放过他。'

B "于是我就说:'别喊,让他待着。他有这样做的习惯,常常到一个地方就不走了,站在那里不动。我想他就会来的,不要打搅他,让他待一会儿。'

"阿伽通说:'好吧,就照你说的办吧。'他就喊仆人们来,吩咐他们说:'给我们上菜吧。没人监督你们,你们爱

① 'Εαυξίμαχος,医生。

摆出什么就摆出什么，我不出主意。今天你们应该设想 C 我和这些客人都是你们邀请来的；要好好伺候，争取我们的称赞。’”

阿里斯多兑谟说：“于是大家开始用餐，可是苏格拉底还没有来。阿伽通再三地要派人去找，都被我拦住了。后来他终于到了，比起他素来的习惯还不算太迟，客人们才吃下一半。阿伽通独自坐在末席上说：‘来呀！苏格拉底，请挨着我坐，让我靠近你，可以沾到你在隔壁门楼里 D 发现的智慧。显然你是找到了并且抓住了它，要不你还不会来。’

“苏格拉底坐下来说：‘阿伽通啊，要是智慧能像满满一杯水，通过一根毛线，就可以引到一只空杯里去，只要两个人挨着坐，智慧就从充满的人那里流进空虚的人心 E 里，那该多好啊！如果智慧是这样的，我该把坐在你旁边这件事看得非常珍贵，因为我想这样一来你的许多智慧就会倾注到我身上。我的智慧很浮浅，有如梦幻，是真是假还说不定；你的智慧却光辉灿烂，有很大的发展前途，在你还很幼小的时候就发出光辉，就在前不久有三万多人为此作了见证[①]。’阿伽通说：‘苏格拉底，你在嘲笑我。

① 希腊每年祭神大典中要举行戏剧会演，并且评定甲乙。竞赛在露天剧场举行观众有三万多人。阿伽通的第一部悲剧就是在这样的场面下评定得奖的。

关于智慧问题，我们还是等一会儿决定，请狄奥尼索[1]来给我和你作裁判。现在你开始用餐吧。'

176A “这以后苏格拉底入了席，和其他的客人一起用餐。他们向神奠了酒，唱了庄严的颂神歌，举行了例行仪式，大家开始饮酒。于是包萨尼亚[2]开始发言，说：'诸位，我们现在用什么方式喝酒最愉快？我这方面可以告诉诸 B 位，实际上我还没有从昨天喝的酒里醒过来，需要缓口气；我觉得你们多数人也和我差不多，因为昨天你们也在场。所以请你们考虑一下我们怎么喝最合适。'接着阿里斯多潘[3]就说：'你说得很对，包萨尼亚，我们得想办法喝得从容一些。因为我自己昨天也属于烂醉如泥之列。'

“阿古梅诺[4]的儿子鄂吕克锡马柯听到这话就说：'的确如此，说得很对。不过我还想听一听你们中间另外一位的意见：你怎么样，还能喝吗，阿伽通？'

“阿伽通说：'我尤其不行，没这个力量了。'

C “鄂吕克锡马柯接着说：'这样看来，我、阿里斯多兑

① Διόνυσος，酒神。

② Παυσανίας.

③ 'Αριστοφάνης，喜剧作家。

④ 'Ακουμένος.

谟、裴卓[1]这些人今天运气还不坏，你们几位酒量大的都宣告退却了。我们这些人当然是没酒量的。我没有把苏格拉底算在内，因为他能喝，也能不喝，摆在哪边都行。现在大家既然都不很想痛饮，我就不妨谈谈醉酒是怎么 D 一回事，我的话也就不会很刺耳了。我有一种信念，这也许是从我行医的经验得来的，就是醉酒对人实在有害。我自己不肯饮酒过量，也不肯劝旁人喝过量，尤其是头一天喝过酒，头还昏昏沉沉的时候。'

"那个缪里努西佬[2]裴卓插进来说：'你的话我总是相信的，尤其是医学方面的话，别的人考虑一下也该相信。'裴卓的话得到大家一致赞同；大家都同意今天会饮时不 E 闹酒，高兴喝多少就喝多少。

"于是鄂吕克锡马柯说：'既然大家决定随意饮酒，不加勉强，我建议把刚才进来的吹笛女打发出去，让她们吹给自己听，或者在乐意的时候吹给闺房里的女眷听，我们还是用谈论来消遣这次聚会的时光。谈论什么问题 177A 呢？如果大家同意，我倒准备好了一个题目，情愿提出来。'在座的人听到这话都说乐意这么办，请他把题目提

---

① Φαῖδρος.

② Μυρρινούσιος.

出来。

“鄂吕克锡马柯就说：‘我的开场白要引用欧里彼德[①]的《梅兰尼波》[②]剧中一句话：这话并不是我自己的，而是[③]裴卓的。他时常很气愤地对我说：说起来真奇怪，鄂吕克

B 锡马柯！各种神道都引起过诗人们作歌作颂，只有爱若[④]除外，从来没有一个诗人写诗颂扬他，尽管他那样伟大。请想一想那些本领高强的智者们[⑤]，他们写散文颂扬的却是赫拉格勒[⑥]之流，柏若狄各[⑦]就是智者中的一位。这还不足为奇，有一天我看到一本书，作者把盐的效用大大赞

C 扬了一番。还有许多其他类似的事物都有人赞扬过。这些小题居然有人大做，而至今却没有一个人写过诗宣扬爱神的功德，这样大的一个神竟被忽略到这步田地！裴卓的这番话我看很对，我愿意陪着裴卓向爱神致敬，同时

D 建议今天到会的人趁此良机来礼赞爱神。如果大家赞成，我们就有足够的谈论资料，可以消磨今晚的时光。我

① ’Ευριπίδης，著名悲剧作家。

② Μελάνιππος，剧本名，今佚，仅存片断。

③ 见该剧残篇488。

④ ’Έρως，小爱神，男性。

⑤ σοφιστής，公元前5—前4世纪的一批传授修辞、论辩或智术的教师，以热心辩论、破除成见著称。

⑥ ’Ηρακλῆς，大力英雄。

⑦ Πρόδικος，著名的智者。

建议我们从左到右轮流，每个人都竭尽所能作一篇颂扬爱神的讲话。裴卓应该带头，因为他不仅坐在首席，而且是这个论题的创始人。'

"苏格拉底说：'鄂吕克锡马柯，谁也不会反对你的建议。我自己更不会反对，因为我只知道重视爱情方面的事；我想阿伽通和包萨尼亚也不会反对，阿里斯多潘更加不会，他的全部时光就都消磨在狄奥尼索和阿芾若狄德[①]身上。我看其余在座的人也都不会反对。你的办法对于我们坐在后排的可是不很公平，不过坐在前排的如果把可说的话都说尽了，而且说得非常之好，我们也就心满意足了。好吧，我们就请裴卓开头说，祝他运气好。'" E

在座的人一致赞成这番话，都跟着苏格拉底怂恿裴卓先说。这次聚会每个人所说的话阿里斯多兑谟当然不能完全记清，他对我转述的话我当然也不能完全记清。我只记得最重要的部分。凡是我认为值得记住的话，我现在依次给你转述。 178A

据说裴卓第一个发言，他首先认为爱若是一个伟大

① 'Αφροδίτη，女爱神，司色情的女神。这里与酒神并称是指阿里斯多潘耽于酒色，喜爱风花雪月。

的神，为人类和诸神所景仰。这表现在许多方面，尤其在B他的出身方面。“他是一位最古老的神，古老就是一种荣誉。他的古老有一个凭证，就是他没有父母，从来的诗歌和散文没有一篇提到过爱神的父母的。与此相反，赫西俄陀[①]说：首先产生的是浑沌[②]——

> 然后是宽胸的伽娅[③]这负载一切的基础，随后是爱若[④]。

阿古西劳[⑤]也跟赫西俄陀一样，说随浑沌之后产生了两个神：伽娅和爱若。巴门尼德[⑥]描写创世时说——

> 一切神灵中爱神最先产生。[⑦]

C由此可见普遍认为爱神是诸神中间最古老的神，而且是人类幸福的来源。拿我自己来说，我就认为一个年轻人最高的幸福无过于有一个钟爱自己的情人，情人的最高幸福也无过于有一个年轻的爱人。[⑧] 因为人们要想过美

---

① Ἡσίοδος，公元前八世纪希腊诗人，《神谱》的作者。

② Χάος.

③ Γαῖα，大地女神。

④ 见《神谱》，116。

⑤ Ακουσίλαος，谱牒学家，将《神谱》转写成散文。

⑥ Παρμενίδης，爱利亚学派哲学家。

⑦ 见巴门尼德的残篇，132。

⑧ 古希腊社会有男子同性恋的风气，年龄较大的男子钟爱较小的少年。前者称为ἐραστός，即爱者，这里译为“情人”；后者称为παιδικός，即娈童，也就是ερωμένος（被爱者），这里译为“爱人”。

好正当的生活，必须终生遵循一个指导原则，这并不能完全依靠血统，也不能靠威望、财富，只有靠爱才能办到。D 这原则是什么呢？就是：厌恶丑恶的，爱慕美好的。如果没有这个，无论是国家还是大人物，都做不出美好的事情来。我敢说，如果一个情人在准备做一件丢人的坏事，或者在受人凌辱而怯懦不敢抵抗，这时他被人看见了就会觉得羞耻，但是被父亲、朋友或其他人看见还远 E 远不如被爱人看见那样羞到无地自容。爱人被情人发现他做坏事，情形也是如此。所以我们如果能想出一种办法，让一个城邦或一支军队完全由情人和爱人组成，就会治理得再好不过，人人都会互相争着避免做丑恶的 179A 事，努力做光荣的事。这些人如果并肩作战，只要很小的一支队伍就可以征服全人类了。因为一个情人如果脱离岗位或者放下武器，固然怕全军看见，尤其怕他的爱人看见；与其被爱人看见，他宁愿死百回千回。也没有一个情人会怯懦到肯把自己的爱人放在危险境地不 B 去营救；纵然是最怯懦的人也会受爱神的鼓舞，变成一个英雄，做出最英勇无畏的事情来。荷马就说过，神在某些英雄胸中激发起一股神勇，这无疑就是爱神对情人的特殊恩赐。

"还有一层，只有相爱的人们肯为对方牺牲性命，不但男人，连女人也是如此。贝利亚[①]的女儿阿尔革丝蒂[②]就在全希腊的人面前为我这句话提供了强有力的证C 据。只有她肯代替她丈夫去死，虽然她丈夫也有父亲和母亲。[③] 她的爱超过了父母的爱，所以父母显出对于儿子有如路人，只有姓氏的关系。她成就了她的英勇行为，不但人，连诸神也钦佩这行为的高尚。人死后神让他的灵魂还阳是极罕见的恩惠，连建立过丰功伟业的英雄们D 也很少蒙受，而神灵却将它赐给阿尔革丝蒂，准她死后还魂，以表示他们的钦佩。由此可知连诸神也尊敬爱情鼓舞起来的热忱和勇气了。俄亚葛若[④]的儿子俄尔剖[⑤]所受的待遇就不一样。诸神放他离开阴间，却并没有让他满足他的要求，并不把他的妻子还给他，只让他看了一眼她的阴魂。[⑥] 因为诸神看见他懦弱没有勇气（他本是一个琴

① Πελίας.

② ’Άλκηστις.

③ 阿尔革丝蒂的丈夫因病当死，阿波隆神替他求情，准许他的父母或妻子之中的一个人代他死。他的父母虽然年老，却不肯替儿子死。于是阿尔革丝蒂毅然请死以代。诸神嘉奖她，让她死后复生。欧里彼德用这个传说写了一部悲剧，就以《阿尔革丝蒂》为剧名。

④ Οἴαγρος，河神。

⑤ ’Ορφεύς，据说是荷马以前最伟大的诗人，演奏竖琴可以使木石点头。

⑥ 伟大的琴师和诗人俄尔剖的妻子死了，他怀念甚切，活着走到了阴间，诸求冥王准他把她带回人世。他的音乐感动了冥王，冥王准了他的要求，但是附有一个条件，就是他的妻子跟在他后面走，未到阳间之前不准他回头看她。快到阳间了，俄尔剖忍不住回头看她一眼，冥王马上就把她夺回到阴间。

师，这是不足为奇的），不肯像阿尔革丝蒂那样为爱情而死，只是设法活着走到阴间。所以诸神给他应得的惩罚，E 让他死在女人们手里。[①] 至于特底[②]的儿子阿启娄[③]却得到诸神优遇，死后到了福人岛。因为他虽然听到母亲叮嘱他说，要是杀了赫革多尔[④]他就会死，要是不杀赫革多尔他就会平安回家，长命到老，他却毅然下决心营救他的 180A 情人巴卓格罗[⑤]，为他报了仇，不仅为他而死，而且紧跟他死去。为了这个缘故，诸神非常钦佩他，给他特殊优遇，因为他懂得珍重爱情。

"艾斯区洛[⑥]把阿启娄说成巴卓格罗的情人，颠倒了二人的关系。阿启娄不仅比巴卓格罗美，也比所有的其他英雄们都美，还没有留胡须；而且根据荷马的说法，他比巴卓格罗年纪小得多。没有什么能比爱情激起的英勇更受诸神尊敬，而且爱人向情人表现的恩爱比起情人向爱人表现的钟爱也更博得诸神赞赏，因为情人是由爱神依附的，要比爱人更富于神性。就是因为这个缘 B

---

① 据说俄尔剖后来被酒神的女信徒们撕裂而死。

② Θέτις.

③ 'Αχιλλεύς，希腊联军中的英雄。

④ "Εκτορ，伊利亚特的猛将。

⑤ Πατρόκλος.

⑥ Αἰσχύλος，悲剧作家。

故，诸神优遇阿启娄要超过阿尔革丝蒂，让他住到福人岛上。

“总起来说，我认为爱神在诸神中是最古老、最荣耀的，而且对于人类，无论是生前还是死后，他也是最能导致品德和幸福的。”

C 根据阿里斯多兑谟的转述，裴卓说的话大致如此。他说完之后还有些人发言，阿里斯多兑谟记不太清楚，就把那些话撇开，接着转述包萨尼亚的发言。

包萨尼亚说：“裴卓啊，我看我们的题目提得不很妥帖。我们只是规定颂扬爱神。如果爱神只有一个，这倒 D 可以说得过去；可是爱神不止一个，我们一开始就该说明哪一个是我们要颂扬的。所以我现在要做的就是纠正这个缺点，先把论题弄准，指出要颂扬哪一个爱神，然后再用适合这位尊神的语言来颂扬他。

“大家知道，爱若是与阿莆若狄德分不开的。如果阿莆若狄德只有一个，爱若也就只有一个；如果阿莆若狄德有两个，爱若也就必定有两个。谁能否认这位女神有两 E 个呢？一个比较老，是天帝乌拉诺[①]的女儿，没有母亲，我

① Οὐρανός，神话中的第二代天帝。根据《神谱》，他被他的儿子们砍碎投入大海，海中涌出一片白浪，就变成了阿莆若狄德这个女爱神。

们把她称为天上的[①];另一位比较年轻,是宙斯和宙尼[②]生的女儿,我们把她称为凡间的[③]。与这两个女爱神相配合的有两个爱若,应该一个称为天上的爱神,一个称为凡间的爱神。所有的神当然都应当颂扬,不过这两个爱神所司何事,我们必须弄明白。一切行动,专就其本身看, 181A 并没有美丑之分。比如我们此刻所做的事,如饮酒、唱歌或谈话,本身都不能说美,也不能说丑。美和丑起于做这些行动的方式。做的方式美,所做的行动就美,做的方式丑,所做的行动也就丑。爱是一种行动,也可以这样看它。我们不能一遇到爱就说美,值得颂扬;只有那驱使人以高尚的方式相爱的爱神才美,才值得颂扬。

"凡间阿芙若狄德引起的爱神确实也是凡俗的,它不分皂白地奔赴它的目的。这种爱情只限于下等人。它的 B 对象可以是娈童,也可以是女子;它所眷恋的是肉体而不是灵魂;最后,它只选择愚蠢的对象,因为它只贪图达到目的,不管达到目的的方式美丑。因此怀着这种爱情的人苟且从事,不管好坏。这是当然的事,因为这种爱情来 C

① Οὐρανία.

② Διός或Ιεύς,乌拉诺的儿子,第三代天神;Διόνη,宙斯的亲生女儿。荷马史诗上说他们父女相配生育了阿芙若狄德。

③ πάνδημος.

自那位比较年轻的女爱神，她的出身是由于男的也由于女的。至于天上的那位的出身却与女的无关，只是由男子生的，所以其爱情对象只是少年男子。其次，她的年纪较大，所以不至于荒淫放荡。她只鼓舞人们把爱情专注

D 在男性对象上，因为这种对象生来就比较坚强，比较聪明。就是在这种专注于少年男子的爱情上，人们也可以看出，它是真正由这位天上爱神激发的：这种少年男子一定要显现理性，也就是腮帮上长胡须的时候，才能成为爱的对象。我想情人之所以要等爱人达到这种年龄之后才钟爱他，是由于存心要和他终生相守，不是要利用他的年

E 幼无知来哄骗他，碰到另外一个可以宠爱的对象时就把他扔掉。宠爱幼童是照规矩应当禁止的，免得人们在动摇不定的对象上浪费许多精力，因为幼童无论在心灵上还是在身体上都是动摇不定的，终于变好还是变坏谁也不能预先知道。善良的人们为他们自己制定这种规矩，也强迫那些凡俗的情人服从它，不许他们随便爱恋良家妇女。因为这种凡俗的情人使大家对爱情起了不良印象，以为爱人满足情人的要求是一件可耻的事。人们说

182A 这话时，心中所指的正是这种凡俗的情人，因为看到了这班人的卑鄙放荡的行为。正好相反，那种循规蹈矩的行为就永远不会引起人们的反感，不会招来指责。

“我可以指出，关于爱情的规矩在其他的城邦里是很明确易晓的，我们这里的这方面规矩却很复杂。在爱利 B 亚[①]、拉格代孟[②]和博尤底亚[③]，人们不长于辞令，他们干脆立了一条直截了当的法律，把接受情人的恩宠看成美事，无论老少，没人说它是丑事。我看这是由于他们不愿费心思拿辞令来争取少年男子，他们本来是并不长于此道的。但是在伊奥尼亚[④]以及许多别的地区的规矩却把接受情人恩宠定为丑事，这是由于他们受蛮夷统治所致。蛮夷们把钟爱少年男子、爱智慧和爱体育都看成丑事，我 C 想这是因为统治者不愿让被统治者发扬高尚思想，有牢固的友谊和亲密的交往，而这一切都正是爱情所产生的。我们这个城邦的僭主们就从经验得知：由于阿里斯多给东和哈尔谟第欧[⑤]的坚强爱情和友谊，就把僭主的统治推 D 翻了。由此可知，一个地方把接受情人的宠爱当成丑事，那地方人的道德标准一定很低，才定出这样的规矩来。这规矩表现的是统治者的专横和被统治者的懦弱。反之，一个地方无条件地把爱情当成美事，那个地方的人们一定不愿制定这样的规矩。

---

① ’Ηλίας，在希腊南部伯罗奔尼撒半岛上。

② Λακεδαίμων，斯巴达的别名。

③ Βοιωτία，在希腊中部。

④ ’Ιωνία，爱琴海东岸地区。

⑤ ’Αριστογείτον和’Αρμόδιος。

“我们这里制定的规矩比那些都要好得多，不过像我刚才说的那样，不大容易理解。我们可以想一想我们这里人的论调。他们说，与其暗爱，不如明爱，所爱的人应当在门第和品德上都很高尚，美还在其次。人们对情人E都给予极大的鼓励，不认为他在做不体面的事；人们把追求爱情的胜利看成光荣，把这方面的失败看成羞耻。为了争取胜利，他可以做出种种离奇的事。习俗给了他这种自由，而这些离奇的行为如果是为了别的目的，不是为183A了爱情，他就逃不脱哲学的极严厉的谴责。

“比如说，假如一个人想别人给他金钱、官职或某种势力，就去做情人通常向爱人做的那些事，恳请、哀求、发B誓、睡门坎，做出一些奴隶所不屑为的奴性行为，那么，无论是他的朋友还是他的仇敌都会尽力阻止他，仇敌会骂他趋炎附势，朋友会责备他，替他害羞。可是这些事如果是情人做的，反而会博得赞许，我们的习俗给了他这种自由，丝毫不加谴责，以为他所要达到的目的是非常高尚的。最奇怪的是一般人认为：只有情人发了誓而不遵守，C才可以得到诸神的宽恕，因为牵涉到阿芙若狄德的誓言据说根本就不是誓言。由此可知神和人都准许情人有完全的自由，像我们这里的规矩所同意的那样。

“从以上的事实可以推想，在我们这个城邦里，做情人和做爱人都是很光荣的事。可是另一方面，爱人们的父亲常常请教师来管束他们，防止他们和情人的来往；和他们年龄相仿的少年及其朋友见到他们和情人来往也会指责他们，他们的长辈对这种指责也不加非难或禁止。D 从这些事实又仿佛可以推想，在我们这个城邦里做情人和做爱人都是很丑的事。

“我认为道理是这样：这件事并不是十分单纯的，像我开头说的那样。单就它本身来看，它无所谓美，也无所谓丑；做的方式美它就美，做的方式丑它就丑。丑的方式就是拿卑鄙的方式来对付卑鄙的对象，美的方式就是拿高尚的方式来对付高尚的对象。所谓卑鄙的对象就是上 E 面说的凡俗的情人，爱肉体过于爱灵魂的。他所爱的东西不是始终不变的，所以他的爱情也不能始终不变。一旦肉体的颜色衰败了，他就远走高飞，毁弃从前的一切信誓。然而钟爱优美品德的情人却不然，他的爱情是始终不变的，因为他所爱的东西也是始终不变的。

“我们这里的规矩要求对这两种人加以谨严的考验，知道哪种人可以钟爱，哪种人必须避开；它鼓励人们钟爱 184A 应当钟爱的，避开应当避开的；根据种种考验，判定情人和爱人在两种爱情之中究竟站在哪一方面。正因为这个缘故，我们的习俗定了两条规矩，头一条是：迅速接受情 B 人是可耻的，应该经过一段时间，因为时间对于许多事物常常是最好的考验；第二条是：受金钱引诱或政治威胁而委身于人是可耻的，无论是不敢抵抗威胁而投降，还是贪图财产和地位，全都一样。因为这些势力、名位和金钱都不是持久不变的，高尚的友谊当然不能由此产生。

C “按照我们这里的规矩，就只有一条路可以让爱人很光荣地接受情人；如果这样做，从情人方面说，心甘情愿地完全做爱人的奴隶并不算是谄媚，也没有什么可谴责的；从爱人方面说，他也自愿处于奴隶的地位，这也并不 D 是不光荣的。这条路就是增进品德。按照我们这里的规矩，如果一个人肯侍候另外一个人，目的在于得到那个人的帮助在爱智或其他品德上更进一步，这种卑躬屈节并不卑鄙，也不能指为谄媚。这两条规矩，一条是关于少年男子的爱情，一条是关于学问道德的追求，应该合而为一；如果合而为一，爱人眷恋情人就是一件美事。所以，情人和爱人来往，就各有各的指导原则。情人的原则是爱人对自己既然表现殷勤，自己就应该在一切方面为他效劳；爱人的原则是情人既然使自己在学问道德方面有 E 长进，自己就应该尽量拿恩情来报答。一方面乐于拿学问道德来施教，一方面乐于在这些方面受益，只有在这两条原则合而为一时，爱人眷恋情人才是一件美事，如若不然，它就不美。如果是为了增进学问道德，纵然完全失败 185A 也没有什么可耻；如果是为了其他的目的，不管失败与否都是可耻的。假如一个少年男子以为他的情人很富，为了贪财就去眷恋他，后来发现自己看错了，其实他很穷，无利可图。其眷恋还是很可耻的，因为这种行为揭穿了他的性格，证明他这个人为了金钱可以侍候任何人、做出任何事来，这当然是很不光彩的。再假如一个少年男子以为他的情人很有道德，和他来往可以使自己变好，后来 B 发现自己完全看错了，那人其实很坏，毫无品德可言，在这种情况下，他虽然看错了，却还是很光彩的。因为大家认为他的这种行为表现了他的性格，表明他一心一意想好，想在品德上更进一步，才去眷恋一个人，比起前一个事例来，这却是最光荣的。总之，为了品德而眷恋一个情人是很美的事。这种爱情是天上的阿芙若狄德所激发的，本身也就是属于天上的，对国家和个人都非常可贵，C 因为它在情人和爱人心里激起砥砺品德的热情。此外的一切爱情都起于凡间的阿芙若狄德，都是凡俗的。

"裴卓啊，关于爱神，我的没有准备的临时想出的话就说到这里。"

包萨尼亚使我们学到了聪明的能人们[①]那种转弯抹角的说话技巧。他的话一结束，阿里斯多兑谟就宣布该轮到阿里斯多潘发言。不知是因为吃得太饱了，还是因 D

---

① σοφοί，如所谓七贤。

为别的缘故,阿里斯多潘碰巧正在打嗝,不能说话。他只好向坐在下一位的鄂吕克锡马柯医生说:“鄂吕克锡马柯啊,请你帮个忙,要么止住我的打嗝,要么代我讲话,等我复原再说。”鄂吕克锡马柯答道:“这两件事我都替你办。我先代替你讲话,等轮到我的时候你再讲。在我讲的时候你憋口气别呼吸,就可以止嗝,要是不止,你就得喝下 E 一口水。如果这样办你打嗝还很厉害,你得拿样东西戳一戳鼻孔,打一个喷嚏,这样来一两回,无论多么厉害的打嗝都会停止的。”阿里斯多潘说:“你开始讲吧,我照你说的办。”

186A 于是鄂吕克锡马柯说:“我看包萨尼亚的话开头很好,收尾却不很相称,所以我必须对他的话作一点补充。因为他说爱情有二重性,我看这样区分是妥当的;但是爱情激动人的灵魂不仅追求美少年,也追求许多别的东西, B 以及所有的其他事物,如一切动物的身体,一切在大地上生长的东西,总之一切存在物。这是我们从医学得出的结论:爱神的威力伟大得不可思议,支配着全部神的事情和人的事情。

“为了尊敬我自己从事的行业,我愿意先从医学出发。身体的本性也具有这种二重的爱。因为身体的健康状态和疾病状态是不同的、不一样的;不一样的状态希求的、喜爱的是不一样的对象。因此,健康状态的爱和疾病状态的爱是两回事。正如包萨尼亚刚才说的那样,爱好人是美事,爱坏人是丑事。对身体来说也是同样的道理:对身体上好的、健康的东西加以爱护是美事,这就是我们所谓医术所管的;爱坏的、有病的东西是可耻的,必须加以排除,如果懂医道的话。总之,医学就是关于身体的爱好的学问,研究如何培养、如何宣泄。医道高明的人就能区分美好的爱和恶劣的爱。要是一个医生善于促成转变,以这种爱代替那种爱,引起身体里面本应具有而尚未具有爱,消除其中本不应有而实际具有的爱,那他就是医中高手了。医生还必须懂得使本来在身体里相恶如仇的因素变成相亲相爱。最相恶如仇的就是那些互相对立的因素,如冷和热、苦和甜、干和湿之类。我们的祖师爷阿斯格雷比欧[①]之所以成为医学创始人,就是因为他能使相反相仇的东西和谐一致,像这里两位诗人[②]所说的、我自己所相信的那样。 C D E

“不仅医学完全受爱神统治,像我刚才说的那样,就是体育和农业也是如此。至于音乐受爱神统治更为明显,任何人不用费力思索也可以看出。赫拉格雷多[③]说过一句话,字面含糊费解,也许指的就是这个意思。他说: 187A

① ’Ασκληπιός.

② 指阿里斯多潘和阿伽通。

③ ‘Ηράκλειτος,这句话见他的残篇 51。

一与它自身冲突,又与它自身一致,有如弓和竖琴的和
B 谐。说和谐就是冲突,或者和谐是由冲突的因素形成的,当然极端荒谬。他的意思也许是说,音乐的艺术就是协调高音低音的冲突,从而创造出和谐。如果高音和低音仍然在冲突,它们就绝不能有和谐,因为和谐就是协调,而协调是一种互相和合,两种因素如果仍在冲突,就不能互相和合;冲突的因素在还没有互相融合的时候也就不
C 可能有和谐。可是节奏也是由快和慢产生的,快和慢本来是两回事。后来却变成一致了。正如前面是医术带来了身体的协调,这里则是音乐的艺术产生了另外一种和谐,因为它协调快慢的差异,产生出节奏来。所以音乐可以说是关于和谐和节奏方面的爱的学问。在和谐与节奏
D 的组成上,我们固然不难看出爱的作用,却还看不出这二重性的爱;可是到了应用和谐与节奏于人生的时候,无论是创造曲调(就是所谓作曲),还是演奏已经制成的曲调(这需要好好调教),就都不是易事,需要高明的音乐大师了。在这里我们又要回到上面的结论,分别两个爱神。我们应该爱品格端正的人,以及小有缺陷而肯努力上进
E 的人;这才是应该保持的爱情,才是那个美好的、天上的爱神,才是天上仙女们的爱情。至于那出于波吕姆尼娅[①]

① Πολύμνια,十个缪斯之一,专司风花雪月式文艺的女神。

的凡间的爱情则必须加以谨慎防范，以免因它的快感养成淫荡。这正如我们的医学重视食欲的正确使用，享受佳肴美味而不至于生病。由此可知，在音乐、医学以及其他一切人的事情和神的事情里面，我们都要尽量细心地注意这个二重的爱神，因为它是肯定存在的。

“四季的推移也充满着这两种爱情。我刚才说的冷 188A 和热、干和湿那些性质，如果有一种有节制的爱把它们约束在一起，使相反者相成，产生一种恰到好处的和谐，就会风调雨顺，人畜草木都健康繁殖，不发生任何灾害。反之，在季节的推移中如果那种无节制的爱占了上风，就会出现各种灾害，牲畜草木就发生瘟疫或其他各种疾病，凡 B 属霜冻、冰雹、发霉之类，都是由于天文学所研究的爱情范围内出现了反常失调的情况。天文学的对象就是星辰的变动和季节的推移。

“不仅如此，那些有关祭祀和占卜的仪式（这都是神 C 与人之间的交往）所做的无非就是对爱的保持和治疗。因为我们之所以不虔诚，大都由于不顺从那个有节制的爱神而皈依另一个爱神，以及对父母（无论存殁）不孝顺，反对占卜所凭依的神灵，不加信奉和崇敬。占卜术的功 D 能就是监督和治疗这两个爱神，所以占卜术是调节人神友谊的艺术，因为它能分别人的哪种爱是符合敬天畏神的道理的。

“所以说，一般说来爱神的威力是多方面的，巨大的，普遍的；但是只有当他以公正和平的精神在人神之间成就善事的时候，才显示他的最大的威力，使我们得到最高的幸福，使我们不但彼此友好相处，而且与高高在上的诸神维持着敬爱的关系。

E “我的话就到此终结。也许我的颂词也有许多遗漏，可是这并非有意的。如果我有遗漏，阿里斯多潘，就请你填补。不过你颂扬爱神如果另有新意，就请随意发表，你已经不打嗝了。”

189A 据阿里斯多兑谟说，接着就是阿里斯多潘发言，他说：“不错，我的打嗝是停止了，不过这是打了喷嚏之后才停的，所以我觉得很奇怪，为什么一定要经过那一番大声的、怪痒的喷嚏折腾，才能恢复身体的正常状态呢？你看，一打喷嚏，打嗝果然停止了。”鄂吕克锡马柯回答说：B “好哇，阿里斯多潘，当心你在干什么！你一开口就开玩笑。你本来可以平平静静地说下去，却这样开玩笑，使我不得不提防着你，看你的话有什么惹人笑的。”阿里斯多潘听了哈哈大笑，说：“你说得对，鄂吕克锡马柯，我刚才说的全不算数。可是你千万不要提防我。我害怕的倒不是自己的话会惹人笑，因为惹人笑是我的诗神的胜利，这本来就是他的特产；我害怕的只是自己说的话荒唐可笑。”鄂吕克锡马柯说：“阿里斯多潘哪，你以为自己打了

别人可以不挨打么？小心点，说话要算数，要负责为它辩 C
护的。只要你说的顺我的心思，也许我会放你过去。”

阿里斯多潘接着说：“对，鄂吕克锡马柯，我打算换个方式来说，和你们两个的说法，包括你的和包萨尼亚的，都不一样。依我看，一直到现在，人们对爱神的威力还是完全不了解。要是他们了解，就会给爱神建立最庄严的庙宇，筑起最美丽的祭坛，举行最隆重的祭典。可是一直 D
到现在爱神还没有得到这样的崇敬，尽管他理应得到。因为他是一切神祇之中最爱护人类的，他援助人类，给人类医治一种疾病，治好了，人就能得到最高的幸福。我今天要做的，就是让你们明白爱神的威力。你们明白了就可以把我的教义传给全世界。

“你们首先要领教的是人的本性以及他所经过的变迁。从前的人和现在不一样。从前的人本来分成三个性 E
别，不像现在只有两个性别。在男人和女人之外，从前还有一种人不男不女，亦男亦女。这第三类人现在已经绝迹了，只有名称还保留着，就是所谓阴阳人，他们原来自成一类，在形体上和名称上都是兼具阴阳两性的。现在阴阳人这个名称却成了骂人的字眼。此外，从前人的形体是一个圆形的东西，腰和背部都是圆的，每个人有四只手，四只脚，一个圆颈项上安着一个圆头，头上长着两副面孔，一副朝前一副朝后，可是形状完全一模一样，耳朵 190A

有四个，生殖器有一对，其他器官的数目都依比例加倍。他们走起路来也像我们一样直着身子，但是可以随意向前向后。可是要快跑的时候，他们就像现在杂技演员翻B 筋斗一样，四只胳臂四条腿一齐翻滚，滚动得非常快。其所以有这三个性别，是由于男人原来是由太阳生的，女人原来是由大地生的，至于阴阳人则是由月亮生的，月亮本身就同时具备太阳和大地的性格。他们的形体和运动都是圆的，是像他们的产生者。他们的体力精力当然非常强壮，因而要想和神灵比高低，就像荷马说的艾披亚尔德C 和俄铎[①]一样，企图打开一条通天路，去和诸神交战。

“于是宙斯和其他的诸神会商应付的办法，他们茫然莫知所措。因为他们不能灭绝人类，像从前用雷电灭绝巨灵那样，要是灭绝了人类，就断绝了人对神的崇拜和牺牲祭祀；可是人类的蛮横无礼也是确实不能容忍的。宙D 斯费尽心思，终于想出一个办法。他说：‘我相信有一种办法，一方面让人类还活着，一方面削弱他们的力量，使他们不敢再捣乱。我提议把每个人剖成两半，这样他们的力量就削弱了，同时他们的数目也加倍了，这就无异于说，侍奉我们的人和献给我们的礼物也就加倍了。剖开之后，他们只能用两只脚走路。如果他们还不肯就范，还

① ’Εφιάλτης，’’Ωτος，见《奥德赛》，XI，305—320。

要捣乱,我就把他们再剖成两半,让他们只能用一只脚跳来跳去。'宙斯说到做到,把人剖成两半,就像切水果做果 E 脯,用头发割鸡蛋一样。剖开之后,他吩咐阿波隆[①]把人的面孔和半边颈项扭转到切开的那一边,让人常见切割的痕迹,学乖一点;扭转之后,再把伤口治好。于是阿波隆把他们的脸扭过来,把切开的皮从两边拉到中间,拉到现在的肚皮的地方.好像用绳子封紧袋口一样。他把缝 191A 口在肚皮中央系起,造成现在的肚脐。然后他像皮匠把皮子放在鞋楦头上打平一样,把皱纹弄平,使胸部具有现在的样子,只在肚皮和肚脐附近留了几条皱纹,使人永远不忘过去的惩罚。

"原来,人这样剖成两半之后,这一半想念那一半,想再合拢起来,常常互相拥抱不肯放手,饭也不吃,事也不 B 做,直到饥饿麻痹而死,因为他们不想分开。要是这一半死了,那一半还活着,活着的那一半就到处寻求配偶,一碰到就跳上去拥抱,不管那是整个女人剖开的一半,即我们现在所谓的女人,还是整个男人剖开的一半。这样,人类就逐渐消灭掉了。宙斯起了慈悲心,就想出一个新办法,把人的生殖器移到前边(从前都是在后面,生殖不是 C 凭男女交媾,而是把卵生到土里,像蝉一样孵化),使男女

① 'Απόλλων,太阳神。

可以凭交媾生殖。由于这种安排，如果抱着相配合的是男人和女人，就会传下人种；如果抱着相配合的是男人和男人，至少也可以平息情欲，让心里轻松一下，好去从事 D 人生的日常工作。就是这样，从很古的时候起，人与人相爱的欲望就植根于人心，它要恢复原始的整一状态，把两个人合成一个，治好从前剖开的伤痛。

“所以我们每人都是人的一半，是一种合起来才成为 E 全体的东西。所以每个人都经常在寻求自己的另一半。那些由剖开阴阳人造成的男人是眷恋女人的，大多数奸夫都属于这种人；那些来自这种人的女人则眷恋男人，是淫妇。那些由剖开女人造成的女人对男人没有多大兴趣，却更喜欢女人，她们是来自这种人的同性恋者；那些由剖开男人而造成的男人从少年时期起都还是原始男人 192A 的一部分，爱和男人做伴，和他睡在一起，乃至互相拥抱以为乐事。他们在少年男子当中多半是最优秀的，因为具有最强烈的男性。有人骂他们为无耻之徒，其实这是错误的，因为他们的行为并非由于无耻，而是由于强健勇 B 敢，急于追求同声同气的人。最好的证明是这样的男人到了成年之后就在政治上显示出雄才大略。一到壮年，他们就会眷恋青年男子，对娶妻生子并没有自然的愿望，只是随俗而行；他们自己倒是宁愿不结婚，常和爱人相守。总之，这种人之所以眷恋少年、爱当被人眷恋的人，是因为他们永远在同气相求。

“一个眷恋少年的人或者别的情人，如果一旦遇到他自己的另外一半，他们就会马上互相爱慕，互相亲昵，可以说片刻都不肯分离。他们终生在一起共同生活，也说不出自己从对方得到什么好处。没有人会相信，只是由于共享爱的欢乐，就能使他们这样热烈地彼此结合在一起；很显然是这两个人的灵魂在盼望着一种隐约感觉到而说不出来的别的东西。假如当他们睡在一起的时候黑派斯多[①]来到他们面前，手里拿着他的铁匠工具问他们：‘你们俩盼望从对方得到的究竟是什么呢？’假如他们不知道怎样回答，他又问道：‘你们是不是想尽可能在一块儿，日夜都不分离？如果你们的愿望是这个，我可以把你们熔成一片，焊成一块，两人合为一个，在世一天就在一起活一天，作为一个人活着，死了也一块儿到阴间，两个人一道死，不是两个人各死各的。你们想一想，是不是愿意这么办？这样办是不是能使你们心满意足？’他们听了这番话之后，准保没有一个人会说出半个不字，或者表示盼望别的事。他们每个人都会想，自己许久以来所盼望的正是和爱人熔成一片，两人合成一个人。

C D E

“其所以如此，原因就在于我们原来的性格就是这 193A

① Ἥφαιστος，火神，铁匠的祖师爷。

样，我们本来是个整体，这种成为整体的希冀和追求就叫做爱。从前，像我说的那样，我们本是一个，现在由于我们犯了过错被神分割开来了，如同拉格代孟人分割阿尔迦狄亚[①]人那样。我们要引以为戒，如果我们对神灵不守本分，恐怕还会被神再剖割一次，走起路来像墓碑上刻的 B 浮雕人物似的，从鼻梁中线剖开，成为切开的两片。由于这个原因，应当劝告世人在一切事情上都要敬畏神灵，免得再度受惩罚，而且在爱神的保佑之下得到福气。任何人都千万不可在行为上触犯爱神，得罪于诸神通常都是由于这个原因。如果我们一旦成了爱神的朋友，与他和平相处，那就会碰见恰好和我们相配的爱人，今天能享到这种福气的人是多么稀少啊！鄂吕克锡马柯不要打断我，嘲笑我，说我这番话是暗指包萨尼亚和阿伽通（因为 C 他们俩也许的确属于这种有福的人，而且生就是男的），我指的是全世界的男男女女，我说全人类只有一条幸福之路，就是实现自己的爱，找到恰好和自己配合的爱人，总之，还原到自己的本来面目。这种还原既然是最好的 D 事，那么，达到这个目标的捷径当然就是最好的途径，这就是得到一个恰好符合理想的爱人。爱神就是成就这种

---

① ’Αρκαδία，伯罗奔尼撒半岛中部地区，其城邦曼蒂内亚（Μαντίνεια）于公元前 385 年被斯巴达人攻破，分割为四个村庄。

功德的神,所以他值得我们歌颂。在今生,他保佑我们找到恰好和自己相配的人,在来生,他给我们无穷的希望。如果我们能敬神,爱神将来就会使我们还原到自己原来的整体,治好我们的毛病,使我们幸福无涯。

"鄂吕克锡马柯啊,这就是我对爱神的颂辞,和你的不一样,请你不要拿它来开玩笑,我们还要听听其余各位 E 的话,至少还有阿伽通和苏格拉底两位没有说。"[①]

"好,我听你的话,"鄂吕克锡马柯说,"我实在很欣赏你的颂辞。要不是我素来知道苏格拉底和阿伽通在爱情这个题目上都很内行,我会担心他们不容易措词的,因为许多话已经说过了。不过对于他们两位我还是很有信心。"

苏格拉底就接着说:"鄂吕克锡马柯啊,你的颂辞倒 194A 挺好。可是,假如你现在坐在我的位置,尤其是在阿伽通说完话之后,你会觉得诚恐诚惶,像我现在这样。"阿伽通说:"苏格拉底啊,你是要灌我的迷魂汤,要我想起听众在指望我说出一番漂亮话,心里慌起来。"苏格拉底说:"阿 B

① 阿里斯多潘的颂辞,像他的喜剧作品一样,在谑浪笑傲的外表之下隐藏着很严肃的深刻的思想。从表面看,他替人类的起源和演变描绘了一幅极滑稽可笑的图画,替同性爱和异性爱给了一个既荒唐又似近情理的解释。从骨子里的思想看,他说明爱情是由分求合的企图,人类本是浑然一体,因为犯了罪才被剖分成两片,分是一种惩罚,一种疾病,求合是要回到原始的整一和健康;所以爱情的欢乐不只是感官的或肉体的.而是由于一种普遍的潜在的要求由分而合的欲望得到实现,这番话着重爱情的整一,推翻了包萨尼亚的两种爱神的看法;同时,像鄂吕克锡马柯的看法一样,也寓有矛盾统一的道理。

伽通啊,我亲眼见过你领着演员们高视阔步地登台,对广大听众表演你的作品,丝毫不露慌张的神色,如果我现在以为我们这几个人就可以扰乱你的镇静,那就未免太健忘了。”阿伽通说:“苏格拉底,希望你不要那样小看我,以为我轻而易举地把剧场听众弄昏了头脑,忘记了在一个明白人看来,少数有理解的人比一大群蠢人要可怕得
C 多。”苏格拉底说:“阿伽通啊,我要是以为你有俗见,那我就错了。我倒是很明白,知道你遇到你认为智慧的人就会把这些人的见解看得比众人的看法高明。可是我们不能是那些智慧的人,因为我们那天也在场,是众人的一部分。假如你遇到另外一些智慧的人,你会觉得在他们面前做丑事是很可耻的。是不是这样?”阿伽通说:“你说的
D 对。”苏格拉底又问道:“在众人面前做了丑事,你就不觉得有什么可耻吗?”听到这里,裴卓就插进来说:“亲爱的阿伽通啊,要是你只管回答苏格拉底的问题,他就会没完没了,完全不管我们今天计划做的事有什么结果。只要找到一个对话人,他就会和他辩论到底,尤其是在对话人是个美少年的时候。我自己倒是爱听苏格拉底辩论,不过我今天负责照管对爱神的颂辞,在听过你们各位的话
E 之后,还要听他的。请你们先把欠爱神的这笔账还清了,然后再进行你们的辩论吧。”

阿伽通说:“裴卓,你说的不错,没有什么事可以拦阻

我说话，至于和苏格拉底辩论，我可以另找机会。

“我打算先说一说我认为应该怎样说，然后再说话。以前说话的几位都不是颂扬神灵，而是称颂人类从神那里得来的幸福，至于那位给人类造福的神本身是什么，谁 195A 也没有说到。无论颂扬什么，只有一个正确的办法，就是先说明所颂扬的对象是什么，然后说明这个对象产生的效果，所以颂扬爱神也要先说他是什么，后说他给予的恩惠。

“因此我首先肯定：一切神灵都是幸福的，而爱神可以公平地、不会引起妒忌地说，是神灵中间最幸福的，因为他最美，也最善良。首先他是诸神中间最年轻的，裴 B 卓。最好的证明是他自己给我们提供的：他遇到老的就飞快地躲开；老本身就来得够快，快到我们很不乐意。爱神天生就厌恶它，不肯接近它，远远地避开它。他总是爱和少年打交道，因为他自己就是一个少年，古话说得好：物以类聚。裴卓说的话大部分我都同意，只是他以为爱神要比格若诺和雅贝多[①]更老，我不敢首肯。我的看法正 C 相反，认为他在诸神中间最年轻，而且永远年轻。至于赫西俄德和巴门尼德转述的古代诸神纷争，如果是真的，那

---

① Κρόνος，最古的第一代天帝，生下第二代天帝乌拉诺，乌拉诺又生下第三代的宙斯，'Ιαπετος是宙斯的儿子。

也应该是定命神[1]造成的，与爱神无关。因为如果当时诸神中间已经有爱神，就不会有那些互相残杀、囚禁等等残暴的行为，就会只有彼此相爱、友好，如同现在由爱神统率诸神以来的情况了。

D “所以爱神年轻是千真万确的。由于年轻，所以很娇嫩，可惜没有像荷马那样的诗人把这位神灵的娇嫩鲜明地描画出来。荷马倒是形容过阿德[2]，说她是一位女神，很娇嫩，至少她的一双脚是娇嫩的，荷马这样说：

她的脚实在娇嫩，从来不下地，

而在人们头顶上踱来踱去。[3]

E 他认为娇嫩有一个明显的标志，就是踏软的不踏硬的。我们用同样的标志来看爱神，也可以说他是娇嫩的，因为他不在地上走，也不踩脑袋瓜子（这也不是什么很软的东西），而是在世上最柔软的东西上蹓跶，并且住在那里。他寓居在神和人的心灵里、灵魂里。爱神不但用脚而且用全身盘踞在最柔软的东西的最柔软的部分，可见他本身就非常柔软，这是必然的。

196A “可见爱神最年轻，也最娇嫩。此外他也具有韧性。

---

① ’Ανάγκη，就是必然性的意思。

② ’'Ατη，宙斯的女儿，常在不知不觉之中迷惑人的心神，使人轻举妄动。

③ 见《伊利亚特》，XIX，92。

他如果坚硬，就不会随时随地都能迁就，在每个灵魂里溜进溜出，不叫人发觉。他柔韧和随和还有一个明显的证据，就是他的容貌秀美，秀美是爱神的特质，这是人所公认的。丑恶与爱神永远水火不相容。他经常在花丛中，B 所以颜色鲜美。一个身体、一个灵魂或者别的什么里面，如果没有开花，或者花已经谢了，爱神是不肯栖身的；他栖身的地方一定是花艳香浓的。

"关于爱神的美，所说的话已经很够，但是可说的话还是很多。我们现在来说爱神的品德。他的最大的光荣在于既不害神和人，也不受神和人的害。暴力与他无缘；要是他有所忍受，忍受的也不是暴力，因为暴力把握不住 C 爱神，要是他有所发动，发动的也不是暴力，因为爱情都是出于自愿的，双方情投意合才是爱情王国的金科玉律。

"爱神不仅公正，而且审慎。大家公认审慎是节制快感和情欲的力量。世界上没有一种快感比爱情本身还要强烈。一切快感都比不上爱情，就是因为它们都受爱神节制，而爱神是它们的统治者。爱神既然统治着快感和情欲，岂不是最审慎的吗？

"再说勇敢，连战神阿瑞[①]也抵挡不住爱神爱若。我 D

---

① ''Αρης.

们没听说过爱神被战神所制服，只听说战神被爱神所制服，被阿莆若狄德所制服。[①] 制服者总比被制服者强。爱神既然能制服世间最勇敢的，他也就必然勇敢无比了。

“爱神的公正、审慎和勇敢都已经说过了，剩下要说的是他的智慧。在这一点上我必须尽力说得透彻。首 E 先，像鄂吕克锡马柯那样，我也得尊敬我的行业，说爱神是一位卓越的诗人，一切诗人之所以成为诗人，都是由于受到爱神的启发。一个人不管对诗歌多么外行，只要被爱神掌握住了，就马上成为诗人。这就可以证明爱神是一位熟练的诗人，对各种音乐创作都很拿手，因为一个人 197A 如果自己没有某件东西，就不能拿这件东西给别人，如果不会做某样事情，也就不能拿它来教别人。还有，一切有生命的东西的产生，谁敢说不是爱神的功绩？再说一切技艺，凡是奉爱神为师的艺人都有光辉的成就，凡是不曾 B 受教于爱神的都黯然无光。阿波隆是怎样发明射箭、医药和占卜的？还不是由于受欲望和爱情的引导吗？所以阿波隆其实还是爱神的徒弟。各位诗神在音乐方面，黑派斯多在冶炼方面，雅典娜在纺织方面，宙斯在统治神和人方面，也都要归功于得到爱神的教益。所以爱神一出

① 阿莆若狄德本是火神之妻，却爱上战神，和他私通。见《奥德赛》，VIII，266。

现,诸神的工作就上了轨道,有了秩序;这显然是由于对美的爱好,因为丑不能作为爱的基础。像我在开头说过的那样,在爱神出现之前,定命神用事,诸神中间曾经发生过许多凶恶可怕的事;自从爱神降生了,人们就有了美的爱好,从美的爱好就产生了人和神所享受的一切幸福。

“正因为如此,裴卓啊,我以为爱神首先本身就是最美的、最善良的,后来也创立了各种美好善良的东西。现在我想到两行诗,就说是爱神造成了: C

人间的和平,海洋上的风平浪静,

狂飙的平息,一切苦痛的安眠。

他消除了隔阂,产生了友善,像我们今天这样的欢庆、宴会、合唱和祭典,都是由他发动,由他领导的。他迎来和睦,逐去暴戾,缔造友情,破除恶意,既慷慨又和蔼,所以引起哲人的欣羡、神明的惊赞。没有得到他保佑的人盼望他,已经得到他保佑的人珍视他。他是欢乐、文雅、温柔、优美、希望和热情的父亲,他只照顾好的,不关怀坏的。在我们的工作中他是我们的领导,在我的忧患中他是我们的战友和救星,在诗文和会饮的聚会中他是我们的伴侣。无论是神是人,都要奉他为行为的规范,每个人都应当跟着这位优美的向导走,歌唱赞美他的诗篇,并且参加他所领导的那个使人和神皆大欢喜的乐曲。 D E

“裴卓啊，这就是我的颂辞。我尽了我的能力，使这篇颂辞时而庄重，时而诙谐。我愿意把它作为我对爱神的献礼。”

198A 阿里斯多兑谟接着说，阿伽通说完就座之后，大家热烈鼓掌，感到这位少年才华横溢的发言给他自己带来了光彩，也给这位神灵带来了光荣。然后苏格拉底转过身向鄂吕克锡马柯说：“阿古枚诺[1]的儿子啊，你看，我原来担心的事情已经有事实证明了，我早就说阿伽通会说得非常精彩，使我难以为继，这不是有先见之明吗？”

鄂吕克锡马柯回答道：“你确实说过他会说得挺好，在这一点上你倒是有先见之明。可是你说你难以为继，我却不敢承认。”

B 苏格拉底说：“我的好人啊，怎么不是难以为继？不但我，就是任何一个人，听了这样既富丽又优美的颂辞之后要再说话，不是都会有这样的感觉吗？他的讲话各部分都很精彩，精彩的程度固然不同，快到收尾时辞藻却十分精妙，使听者不能不惊魂荡魄。以我自己来说，我知道 C 得很清楚，无论如何我也说不到那样好，我自觉羞愧，想偷着溜出去，可惜找不到机会。阿伽通的辞令使我想起

---

① ’Ακουμένος，鄂吕克锡马柯的父亲。

戈尔及亚[①],我的诚惶诚恐的心情恰如荷马所描写的,深怕阿伽通在他的收尾辞句中会捧出那个雄辩大师戈尔共[②]的头颅给我看,使我化为顽石,哑口无言。

“所以我明白了,当初我和你们约定也跟随你们颂扬爱神,并且说我自己对这个主题很内行,真是荒唐可笑, D 因为我对于怎样去颂扬一个对象是茫然无知的。由于我的愚蠢,我原以为每逢颂扬时,我们应当对于所颂扬的东西说出真话,以此为基础,然后从其中选择出一些最美的部分,把它们安排成最美的样式。我原来自视很高,自信一定可以说得挺好,因为我自以为懂得作颂辞的真正的方法。可是现在看来,一篇好颂辞好像并不是这样,而是要把一切最优美的品质一齐堆在所颂扬的对象上,不管是真是假,纵然假也毫无关系。我们的办法好像是每个 E 人只要做出颂扬爱神的模样,并不需要真正颂扬他。就是因为这个缘故,在我看来,你们是费尽气力把一切都归到爱神身上,说他是这个样子的,产生了这样的效果,以 199A 此显示出他是最美的、最出色的;但这只是在无知之徒看来如此,绝非在有识之士眼中显示。所以说这是一篇富丽堂皇的颂辞。可是我答应跟你们颂扬爱神的时候并不

---

① Γοργίας,是当时的有名智者,阿伽通所敬佩摹仿的。苏格拉底的话里包含讽刺,把阿伽通的话比作戈尔及亚的智者辩术,又把智者的辩术比作女妖的法术。

② Γοργών,神话中的女妖,头发是蛇,凶恶可怕,见者立即化为顽石。

B 知道要用这样的方式。因此那只是口头应允,并非衷心应允。请诸位允许我告辞吧,我不能做这样的颂辞,我根本不会。不过,如果你们肯让我用自己的方式专说些老实话,不是和你们比赛口才,使自己成为笑柄,那我倒是情愿来试一试。裴卓啊,请你决定一下,是不是还要听一番颂扬爱神的老实话,不斤斤计较词藻,让我想到什么就说什么?"

裴卓和其他在座的人都请苏格拉底说下去,用什么方式都随他的便。苏格拉底说:"还有一个请求,裴卓,我

C 想向阿伽通问几个问题,先得到他的一致意见,然后才说我的话。"裴卓说:"我同意,你问他吧。"

阿里斯多兑谟说,苏格拉底接着就开始发言,他说:"亲爱的阿伽通,我觉得你的颂辞开头说得很好。你说首先必须说明爱神是什么,然后陈述他的功劳,我觉得这个

D 开头说得很对。你既然把有关爱神的事说得非常美好、非常崇高,我还想请问你一句:爱神之为爱神,是爱某某人呢,还是不爱任何人?我的意思并不是问:爱神是对母亲的爱,还是对父亲的爱?那样问是很可笑的。我的意思是:在涉及一个父亲的时候,我要问一个父亲是某某人的父亲,还是并非什么人的父亲。这样问倒和我刚才提出的问题类似。你如果想答得妥当,当然会说:一个父亲

是儿子或女儿的父亲。是不是?”

阿伽通答道:“当然。”

苏格拉底说:“母亲也是这样吗?”

他表示同意。

于是苏格拉底说:“那就请你再回答几个问题,好使 E 你把我的意思了解得更清楚一些。我现在问你:一个哥哥之为哥哥,是不是某某人的哥哥?”

他说:“那当然,不就是一个弟弟或妹妹的哥哥吗?”他表示肯定。

“那就请你把这个道理应用到爱神身上说:爱神是不是对某某的爱?”

“当然是对某某的爱。”

苏格拉底说:“请你牢记这一点,牢记爱神是对某某 200A 的爱。我还要问你:爱者是不是盼望他所爱的东西?”

他说:“当然盼望。”

“他所盼望、所钟爱的那个东西,他是已经有了它,还是并没有?”

他说:“他大概还没有。”

苏格拉底说:“请你确定地说是还是否,不要说大概,要说必定。你想,一个人盼望一样东西,是不是必定还没有那样东西,有了它是不是必定不再盼望它了? 我看这 B 是确定不移的。阿伽通,你看如何?”

他说:“我也这样看。”

“你说得很好。一个高大的人还盼望高大吗?一个强壮的人还盼望强壮吗?”

“根据我们的共同理解,那是不可能的。”

“因为他既然已经有了它,就不再需要它了。”

“你说得对。”

C 苏格拉底接着说:“假如强壮的还要强壮,敏捷的还要敏捷,健康的还要健康,那也许有人会说:‘那些已经是这样、已经有这样品质的,还在盼望这种品质。’为了不上这个当,阿伽通啊,我得这样说:‘你想想看,这些人既然有了这种品质,这个有就是必定的,不管他们愿意不愿意,都得有。既然这样,谁还能仍然盼望他已经有的呢?’假如有人向我们说:‘我本来健康,可是现在还盼望健康,D 本来富有,可是现在还盼望富有,所以我是在盼望我已经有的。’那我就该这样回答他:‘朋友,你拥有着财富、健康和气力,是盼望在将来也拥有这些东西,因为不管你是否愿意,现在你已经有了。’你想想看,他说他盼望已有的东西,心里是不是说,他现在已经有的东西,他愿意将来也有?对不对?他会承认吗?”

阿伽通表示肯定。

于是苏格拉底说:“爱不也是这样:一个人既然爱一件东西,就是还没有那样东西;他盼望它,就是盼望他现

在有它,或者将来有它。是不是?” E

他说:“当然是。”

“所以总起来说,在这种和其他情况下,一个盼望的人所盼望的是他缺少的、还没有到手的,总之是他所没有的,是本身不存在的,不在他那里的;只有这样的东西才是他所盼望的、他所爱的。”

他说:“确实是。”

苏格拉底说:“那我们就总结一下所说的话。这就是:爱神首先是对某某东西的爱,其次是对他所欠缺的东西的爱。是不是?” 201A

他说:“是的。”

“既然如此,那就请你回想一下,你在颂辞里把爱神说成什么。如果你愿意的话,我可以提醒你。你大致是这样说的:由于爱好美的东西,诸神才把自己的活动安排成那个样子,因为丑的东西不是神所爱的。你是不是这样说的?”

阿伽通说:“不错。”

苏格拉底说:“你说得很妥当。朋友,既然如此,爱神所爱就是美的东西,而不是丑的东西咯!”

他表示同意。

“我们不是也同意过一个人所爱的是他缺少的、没有的东西吗?” B

他说:“是的。”

“那么,爱神就缺少、没有美的东西咯!”

他说:“必然如此。”

“那缺少美、没有美的,你说美吗?”

“不能那么说。”

“既然如此,你还主张爱神是美的吗?”

听了这话,阿伽通就说:“苏格拉底啊,恐怕当初我只是信口开河,并非真懂所说的话的意思。”

C 他说:“你说的还是很动听,阿伽通啊,可是我还有个小问题:你是不是认为好的东西也是美的?”

“我是这样想的。”

“爱神既然缺乏美的东西,而好的东西也是美的,那他也缺乏好的东西咯!”

他说:“苏格拉底啊,我没有办法驳斥你,就承认你的说法吧。”

苏格拉底说:“亲爱的阿伽通啊,你不能驳斥的是真理,驳斥苏格拉底并不是难事。

D “我现在放开你,谈一谈我从前从一位曼底内亚[1]女人狄欧蒂玛[2]那里听来的关于爱神的一番话。她对爱的

---

① Μαντίνεια.

② Διοτίμα.

问题，以及对许多别的问题，都有真知灼见。就是她，从前劝过雅典人祭神禳疫，使那次瘟疫推迟了十年；也就是她，传授给我许多关于爱的道理。她所说那些话，我要向你们转述，按照我和阿伽通达成协议的次序，努力做到如实托出；只不过没有她在场，由我一个人来说出对话的情况。阿伽通啊，我现在就照你的办法，先说爱神是什么，是什么样子，然后再说他的功劳。我看最好的办法是按 E 照那位异邦女士考问我的次序来谈。当时我向她说的话也和今晚阿伽通向我说的一模一样，我说过爱神是位伟大的神，是喜欢美的东西的。她驳斥我的话也和我驳斥阿伽通的一模一样，认为按照我的话来看他既不美也不好。

"于是我说：'狄欧蒂玛啊，你怎么说爱神是丑的、坏的呢？'

"她说：'你别说不敬神灵话。你以为不美就一定丑吗？'

"'那当然。'

"'不智慧的就无知吗？你没想到智慧与无知之间有 202A 一个中间状态吗？'

"'那是什么呢？'

"她说：'有正确的意见而说不出所以然来，就不是有知识（因为没有根据的不能算知识），却也不是无知（因为

有正确内容的不能叫无知)。所以很明显,正确的意见就是介于智慧和无知之间的东西。'

"我说:'你说得很对。'

B "她说:'那你就不能说不美的就是丑的,不好的就是坏的。爱神也是这样,你承认他不好也不美,可不要说他必定丑、必定坏;他是介乎二者之间的。'

"我说:'可是人人都承认他是一位伟大的神。'

"她说:'你说所有的人,是无知之徒还是有识之士?'

"'包括各式各样的人。'

C "于是她笑着说:'苏格拉底啊,他们既然不承认他是神,怎么能承认他是一位伟大的神呢?'

"我问道:'你说的他们是谁?'

"她说:'你是其中之一,我也是其中之一。'

"我就说:'你凭什么这样看呢?'

"她说:'那不难。请告诉我,你不是认为一切神灵都是幸福的而且是美的吗?你有胆子说一切神灵都是不美、不幸福的吗?'

"我说:'苍天在上,我不敢说。'

D "'那你把那些拥有美的东西和好的东西的称为幸福的吗?'

"'不错。'

"'可是你却承认过:爱神正由于缺乏美的东西和好

的东西,所以才盼望这种东西。是不是?'

"'我承认过。

"'那个缺少美的东西和好的东西的,怎么能是神呢?'

"'看来不能。'

"她说:'你看,你自己就也把爱神不当作神。'

"我说:'既然如此,爱神又是什么呢?是会死的凡夫吗?'

"'绝不是。'

"'那么是什么呢?'

"她说:'像前面说的那样,是介乎会死的人和不死的神之间的东西。'

"'那是什么,狄欧蒂玛?'

"'是一个大精灵,苏格拉底。因为精灵是介于神和凡人之间的。' E

"我说:'精灵有什么功能呢?'

"'把人的东西翻译和传达给神,这就是使祈祷和献祭上达;再把神的东西翻译和传达给人,这就是使天意和报偿下达。它居于二者之间,填补空档,联成整体。通过精灵,进行着各种预言,以及祭司们牺牲、献祭、念咒、占卜、巫术的法门。因为神和人相隔,诸神与人之间的来往和交谈是通过这种精灵进行的,无论在醒时还是在梦中。 203A

通晓这些法门的人是受精灵感召的人，通晓其他技术和行业的人是普通人。这种精灵有多种多样，爱神就是其中之一。'

"我说：'他的父亲和母亲是谁呢？'

"她说：'说来话长，我还是给你说说吧。当初阿芙若狄德诞生的时候，诸神举行宴会，出席的有智谋女神梅蒂的儿子丰饶神波若。他们宴饮结束时，匮乏神贝尼娅来向他们作节日例行的行乞，站在门口。波若多喝了几杯琼浆（因为那时还没有酒），就走进宙斯的花园，昏昏沉沉地睡着了。贝尼娅由于贫乏，很想和波若生个孩子，于是和他睡在一起，怀下了爱若。爱若也成了阿芙若狄德的随从和仆人，因为他是在阿芙若狄德的生日投的胎，生性爱美的东西，而阿芙若狄德是很美的。

"'由于是丰饶神和匮乏神的儿子，爱神处在这样的境遇中：首先，他是永远贫乏的，人们总以为他文雅美好，其实远非如此，他倒是粗鲁的，不修边幅的，赤着脚，无家可归，总是露天睡在地上，无遮无盖，在人家门口、在大街上栖身，生来和他母亲一样永远伴随着贫乏。但是他也像他父亲那样追求美的东西和好的东西，勇敢，莽撞，精力充沛，是一个本领很大的猎人，总在设计各种谋略，门道多，终身爱好智慧，一个厉害的魔法师，一个配制毒药的，一个智者。他不像不死的神灵，也不像会死的凡夫，在同一天之内一会儿发荣滋长，一会儿枯萎凋谢，情况合适时又立刻重新活跃起来，这是由于从父亲的本性得来的力量。他得来的又失掉，不断地流转着，所以爱若总是既不穷又不富。

"'他也总是处在智慧与无知之间。情形是这样：所有的神都不从事爱智的活动，并不盼望自己智慧起来，因为他们是智慧的，已经智慧的就不去从事爱智慧的活动了。无知之徒也不从事爱智慧的活动，并不盼望自己智慧起来。因为无知的毛病正在于尽管自己不美、不好、不明白道理，却以为自己已经够了。不以为自己有什么欠缺的人就不去盼望自己以为欠缺的东西了。' 204A

"我说：'那么，狄欧蒂玛啊，从事爱智活动的又是什么人呢，如果不是有智慧者，也不是无知之徒的话？'

"她说：'这是很明白的。连小孩也看得出，他们是介乎二者之间的，爱神就是其中的一个。因为智慧属于最美的东西，而爱神是爱美的东西的，所以爱神必定是爱智慧的，他作为爱智者介乎有智慧者和无知之徒之间。他的这种性格也还是由于他的出身，因为他的父亲是智慧的、富足的，他的母亲是不智慧的、贫穷的。亲爱的苏格拉底啊，这个精灵的本相[1]就是如此。你原来对爱神有别 B C

① ἰδέα。

样的看法，这也并不足怪。我从你自己的话来看，觉得你认为爱神是爱人而不是情人，是被爱者而不是钟爱者。你把爱神看成绝美，就是因为这个缘故。可爱者倒真是美的、娇嫩的、完善的、最为幸福的，可是钟爱者的本质却是另外一回事，像我描述的那样。'

"我说：'很好，女客人啊，你说得非常好。如果爱神就是那样的。他对于人类有什么用处呢？'

D "她说：'这正是我要启发你的第二点，苏格拉底。爱神就是这个样子，就是这样产生的。他是奔赴美的东西的，像你说的那样。假如有人问我们：爱者从美的东西得到什么呢，苏格拉底和狄欧蒂玛？或者问得更明确一点：那盼望美的东西的是盼望什么呢？你怎么回答？'

"我说：'他盼望美的东西归他所有。'

"她说：'可是这个答案又引出另外一个问题：他使美的东西归自己所有又怎么样呢？'

"我说：'这个问题我还不能立刻回答。'

E "她说：'假如有人把美的东西换成好的东西，向你问道：苏格拉底啊，你说，那盼望好的东西的是盼望什么呢？你怎么回答？'

"我说：'他盼望好的品质归他所有。'

"'他使好的东西归自己所有又怎么样呢？'

205A "我说：'这个问题我比较容易回答，就是：他会

幸福。'

"她说:'由于拥有好的东西,那些幸福的人就成为幸福的。现在已经不需要再追问那要想幸福的是想什么了。你的答案看来已经到头了。'

"我说:'你说得很对。'

"'这种愿望和这种爱是人人共有的,所有的人都盼望拥有好的东西,你说是不是?'

"我说:'是啊,这是人人共有的。'

"她说:'既然所有的人都永远爱同样的东西,为什么 B 我们不说所有的人都在爱,而说有些人爱,有些人不爱呢?'

"我说:'这一点我也觉得奇怪。'

"她说:'这也没有什么奇怪。因为我们是把某一个类型[1]的爱提出来加上共同的名称,称之为爱,而用别的名称来称呼别的爱。'

"我说:'举个例,怎么样?'

"'这么说吧。你知道作品[2]就有许多方面的,凡是使 C 某某东西从无到有的活动都是做或创作,因此一切技艺的实施都是创作,所有的师傅都是作家。'

① εἶδος.

② ποίησις,本义为"做的东西",指一切做出来的作品,诗也是做出来的,所以也叫ποίησις,诗人叫ποιητής,即"做事的人"。

“‘你说得不错。’

“‘可是你知道，我们并不把手艺人都叫作家，却给他们别的称呼；我们在全部创作活动中间单提出那一部分有关音乐和韵律的来，用全体的名称来称呼它。因为只有这个部分称为诗作，只有做这部分工作的人称为诗人。’

“我说：‘你说得对。’

D “‘至于爱的方面，情形也是这样。一般说来，凡属对于好东西、对于幸福的企盼，都是每个人心中最大的、强烈的爱。然而其余的那些在某一个方面有所追求的，无论是谋求获利的，喜爱体育的，还是爱智慧的，我们都不说他们在爱，不说他们是钟爱者；只有那些以某种方式发挥作用的喜好者，才占有全体的名称，我们说他们在爱，称他们为情人或钟爱者。’

“我说：‘你这番话也许有些道理。’

“她说：‘有一种说法，认为那些寻求自己另外一半的E 人在恋爱。我们说法则不然，认为爱所奔赴的既不是一半，也不是全体，除非它是好的。因为人们宁愿砍掉自己的手和脚，如果觉得它们是坏的、有危险性的话。我以为人所爱的并不是属于自己的东西，除非他把好的都看成属于他自己的，把坏的都看成不属于他自己的。所以人206A 所爱的只是好的。这些说法你觉得如何？’

“我说:‘宙斯在上,我不觉得不妥。’

“‘我们现在能不能干脆说:人们爱好的东西?’

“我说:‘可以这样说。’

“她说:‘怎么?我们是不是应该补充说:人们爱拥有好的东西?’

“‘我们应该补充这句话。’

“她说:‘还有,不仅拥有它,而且永远拥有它。是吗?’

“‘该补上这一点。’

“‘总起来说,爱所向往的是自己会永远拥有好的东西。’

“我说:‘这是千真万确的。’

“‘如果爱总是这个样子,那些追求爱的人是采取什么方式,用什么办法不折不挠地进行这种所谓爱的活动呢?你能说得出这是一种什么活动吗?’ B

“我说:‘如果说得出,狄欧蒂玛啊,我就不会这样钦佩你的智慧,也不用敲你的门了。我来向你请教的正是这种活动。’

“她说:‘那我就告诉你吧。这活动就是在美的东西里面生育,所凭借的美物可以是身体,也可以是灵魂。’

“我说:‘你这话要会卜卦的人才知道是什么意思,我听不懂。’

“她说:‘那我给你说清楚点。苏格拉底啊,所有的人 C

都会生育，凭借身体或灵魂生育，到了一定的年龄，就为本性所推动，迫不及待地要求生育。可是他们不能在丑的东西里、只能在美的东西里生育。男人和女人结合就是生育。怀胎、生育是一件神圣的事，是会死的凡夫身上 D 的不朽的因素。但是这件事不可能在不协调的情况下实现，丑的东西与神圣的事情不协调，只有美的东西才与它协调。所以美是引导和帮助生育的女神和决定命运的女神。因为这个缘故，那生育能力旺盛的一遇到美的对象就立刻欢欣鼓舞，精神焕发，同它交配生子；如果遇到丑的，就垂头丧气，毫无兴趣，避开它不去生育，宁愿把沉重的包袱背下去。因此那充满生育的种子和欲望的一遇到 E 美的对象就欣喜若狂，是由于它可以结束他的巨大痛苦。照这样看来，苏格拉底啊，爱并不是以美的东西为目的的，像你设想的那样。'

"'那是为了什么目的呢？'

"'其目的在于在美的东西里面生育繁衍。'

"我说：'就依你那么说吧。'

207A "她说：'确实是这样。为什么以生育为目的呢？因为在会死的凡人身上正是生育可以达到永恒的、不朽的东西。根据我们已经得出的看法，必然会得出结论说：我们追求的不仅是好的东西，而且是不朽的东西，爱所盼望的就是永远拥有好的东西。所以按照这个说法，爱也必

然是奔赴不朽的。’

“这就是她对我的全部教导。她在爱的问题上和我谈话时，有一次问我：‘依你看，苏格拉底，这种爱、这种盼望的原因何在？你有没有注意到一切动物急于生育时的那种烦躁不安的状态？无论是地上走的，还是天上飞的，B 全都显得神魂颠倒，第一步要交配，第二步要育儿，尽管自己非常弱小，也不惜与非常强大的搏斗，不惜为之牺牲性命；只要能养活幼仔，自己挨饿受罪都在所不辞。人这样做可以说是出于深思熟虑，可是禽兽也是那样如醉如 C 痴，这是出于什么原因，你能给我说说吗？’

“我答道：‘我不知道是什么原因。’

“她说：‘你连这都不知道，还想通晓爱的道理吗？’

“我说：‘就是因为不知道，需要别人教我，我才向你求教。狄欧蒂玛啊，这是我早就说过的。请你告诉我，其所以如此，以及其他有关爱情的事情，究竟是出于什么原因。’

“她说：‘你如果相信爱本来就是我们早已议定的那个样子，你就不会觉得奇怪了。因为和上面说的完全一 D 样，那会死的东西也是力求能够永远存在和不朽。要达到不朽，全凭生殖，以新的代替旧的。每一个个体的生物，虽然我们说它一生之中始终是同一个东西，例如，一

个人就从小到老只是那个人，称为某某人，可是实际上他
E 并不总是原来的那一个，而在不断地变成一个新的，丢掉原来的头发、肌肉、骨骼、血液以至整个身体。而且不仅身体如此，灵魂也是这样，他的习惯、性格、见解、欲望、快乐、痛苦和恐惧都不是始终如一的，而是有的产生有的消失的。而且还有一件更加奇怪的事，就是各种知识也在
208A 不断地有生有灭，我们在知识方面并非总是原样的，每一种知识都在生灭中。因为我们所谓钻研就是追索已经失去的知识。遗忘就是一种知识的离去，钻研就是构成一个想法来代替已经离去的知识，使前后的知识维系住，看
B 起来好像是原来的知识。一切会死的东西都是以这种方式保持不灭的，但不是像神灵那样永远如一，而是那离去的、老朽的留下另外一个新的东西，与原来的类似。她说，苏格拉底啊，就是用这种办法，一切有死的东西分沾上不朽，身体以及其他的一切全是这样；不朽者则不然。因此你不必感到奇怪，每一种生物全都生来就珍视自己的后裔，因为这种锲而不舍的追求和爱是伴随着不朽的。’

C “我听了这番话觉得很奇怪，就说：‘最智慧的狄欧蒂玛啊，果真是这样吗？’

“她摆出一副智者大师的派头说：‘这是毫无问题的，苏格拉底。如果你愿意看看人间的雄心壮志的话，你一

定会非常吃惊,觉得简直不可思议,无法理解我说过的那些事情,就是人们有一种巨大的欲望,要求成名,要求流芳百世。他们为了名声,甚至为了子孙,全都不避危险, D 甘愿倾家荡产,不屈不挠地付出全部辛劳,直到牺牲性命。'

"她说:'你完全明白,阿尔革丝蒂是为了阿得枚多[①]而死的,阿启娄是跟随巴卓格罗死去的,你们的哥卓[②]是预先为了自己子孙的王位而不惜牺牲性命的:他们这样做如果不是想得到身后的、为我们现在所乐道的不朽英名,又是为了什么?'

"她说:'确实如此,他们这样做只是为了品德的不朽,为了这样一种辉煌的身后荣誉,而且他们为人越高尚越会这样做,因为他们是热爱不朽的。' E

"她接着说:'那些在身体方面富于生育能力的人宁愿多接近妇女,以这种方式进行恋爱,以便通过生育后代而获得不朽、怀念和幸福,而且认为可以传到千秋万世。'

"她又说:'至于那些在灵魂方面……[③]的,那些灵魂的生育能力不亚于肉体的,则孕育并且愿意孕育那些宜 209A

① 'Αδμήτος,阿尔革丝蒂的丈夫。事见179B及179C注③。

② Κόδρος,雅典国王。雅典与伲里斯(Δωρίς)交战,神谕说如果国王战死雅典即得胜。哥卓为此故意送死,为雅典博得胜利。

③ [强大]。

于灵魂孕育的东西。这是什么呢？是明智之类的品德。生育这些品德的是一切诗人，以及一切技艺师傅。’

“她说：‘这些品德中间最大的、最美的是安排国家事 B 务和家庭事务的，称为清明和公正。那从幼年就在灵魂中孕育着这些品德的人是近于神明的，到了一定年龄就有繁殖、生育的欲望。这时候，我想，这样的人也要四处寻访，找个可以在其中生育的美的对象，因为他绝不会在丑的对象里生育的。因此他喜欢美丽的身体，不爱丑陋的身体，这是由于他愿意生育的缘故；当他同时遇到一个既美又高尚又优秀的灵魂时，他就会对这个身心俱佳的 C 对象五体投地地喜爱，他会和这样一个人大谈其品德，谈一个杰出的好人应该怎么样，要向什么方向努力，从而对他进行教导。由于他和这个美好对象接触，我想，由于他们的交往和谈话，他就把自己向来积蓄在内心的东西生育出来，由于他不管对象是否在场都在怀念对象，他就与对象共同培养着他所生出来的东西。所以他们之间有一种非常重要的共同性，比夫妻关系深厚得多，他们的友谊 D 无比巩固，因为他们共同拥有着更美、更不朽的子女。每个人都应当不以生育凡俗的子女为满足，而要求生出那样不朽的子女来。他要看一看荷马、赫西俄陀和其他杰出的诗人，羡慕他们留下那样一些后裔，为自己带来不朽的名声，本身就永垂不朽。’

"她说:'如果你愿意的话,也可以看看吕古尔戈[①]在拉革代孟留下那样一些后裔,挽救了拉格代孟,而且可以说挽救了全希腊。梭仑[②]在你们这里也受到崇敬,因为他创立了法律;还有许多别的人物,他们在希腊人中间和蛮夷中间写下许多美好的作品,创立各式各样的品德,由于留下这样一些后裔而享受后人的供奉,那些生育凡俗子女的则无人理会。 E

"'苏格拉底啊,到此为止,你大致可以领会爱的一般秘密;可是,如果向你提出那种与此有联系的最高深、最神圣的道理来,你是不是也能领会我就不知道了。' 210A

"她接着说:'不过我会尽我所能给你仔细讲说。你专心静听吧。

"'一个人要想循着正确的途径接近这个目标,就必须从幼年时候起追求美的形体,如果开始做的正确,他当然首先只会爱好一个这样的形体,并且用一些美好的话语来称颂它,然后发觉某个形体里的美与其他形体里的美是贯通一气的,于是他就要追索那个具有类型意义的 B

① Λυκοῦργος,传说中的斯巴达立法者。拉格代孟是斯巴达的别名。

② Σόλων,雅典的立法者。

美者[①]，这时，就只有大愚不解的人才会不明白一切形体中的美是同一个美了。明白了这一点，他就成了爱一切美好形体的人，把他的热情从专注于某一形体推广到一切，因为他把那种专注一点看成渺小的、微不足道的。再则，他必须把灵魂的美看得大大优于形体的美，如果有一C 个人灵魂值得称赞，即便形貌较次，那也足够了，他也应该对这个人表示爱慕之情，加以照顾，他心里想出来发表的那些美好的话语可以使青年奋发向上，他这样做也使他自己遍览人们各种行动中以及各种风俗习惯中的美，从而见到美是到处贯通的，就把形体的美看成甚为微末的了。可是他必须从各种行动向前更进一步，达到知识，D 这样就见到知识的美；眼睛里有了各式各样美的东西，就不再像奴隶似的只爱一个个别的东西，只爱某个小厮、某个成人或某种行动的美了。他不复卑微琐屑，而是放眼美的汪洋大海，高瞻远瞩，孕育着各种华美的言辞和庄严的思想，在爱智的事业上大获丰收，大大加强，大大完善，发现了这样一种唯一的知识，以美为对象的知识。’

E “她说：‘说到这里，你要尽可能专心地仔细听着。一个人如果一直接受爱的教育，按照这样的次序一一观察

① τόἐπ’εἴδει καλόν，这里的εἶδος（型）就是ἰδέα（相），τό καλόν（美者）指“美的相”或“美本身”。

各种美的东西，直到这门爱的学问的结尾，就会突然发现一种无比奇妙的美者，即美本身。苏格拉底啊，他为了这 211A 个目的付出了他的全部辛劳；它首先是永恒的，无始无终，不生不灭，并不是在这一点上美，在那一点上丑，也不是现在美，后来不美，也不是与这相比美，与那相比丑，也不是只有这方面美，在别的方面丑，也不是在这里美，在那里丑，或者只对这些人美，对别的人丑。还不止此，这美者并不表现于一张脸，一双手，或者身体的某一其他部分，也不是言辞或知识，更不是在某某处所的东西，不在 B 动物身上，不在地上，不在天上，也不在别的什么上，而是那个在自身上、在自身里的永远是唯一类型的[①]东西，其他一切美的东西都是以某种方式分沾着它，当别的东西产生消灭的时候，它却无得亦无失，始终如一。所以说，人们凭着那种纯真的对少年人的爱，一步一步向上攀登，开始看到那个美时，可以说接近登峰造极了。因为这是 C 一条正确的途径，可以自己遵循着它去爱，也可以由别人领着去爱，先从这个个别的美的东西开始，一步一步地不断上升，达到那统一的美，好像爬阶梯，从一个到两个，再从两个到一切美的形体，更从美的形体到那些美的行动，

① 这一句是柏拉图"相论"的基本观点。"在自身上、在自身里"就是不在别的东西上、不在别的东西里，不以别的东西为基础，本身就是基础，是独立不倚的。这个最根本的东西就是唯一的类型(μονοειδής)，即相。

从美的行动到美的知识，最后从各种知识终于达到那种无非是关于美本身的知识，于是人终于认识了那个本身就美的东西。’

D “这位曼蒂内亚女客人说：‘在人生的这个阶段，亲爱的苏格拉底啊，人见到那个美本身，这是人最值得活的阶段。你有一天看见了它，就会知道与它相比，你的钱财、首饰、姣童和美少年统统不值得一顾。而你今天一见这些东西就会神魂颠倒，心向往之，和许多别的人一样，为了看一眼心爱的宝贝，为了同这个宝贝永远在一起，不惜采取任何手段，可以不吃不喝，只要看着它守着它就行。’

“她说：‘如果一个人有幸看到了那个纯粹的、地道的、不折不扣的美本身，不是人的肌肤颜色之美，也不是 E 其他各种世俗玩艺之美，而是那神圣的、纯一的美本身，我们能说这人活得窝囊吗？你想，一个人朝那里看，看到 212A 了那个一定要看到的东西，而且和它打交道，这难道是一辈子庸庸碌碌吗？’

“她说：‘你难道没有想到，他一定要观看美的东西才能上溯到美本身，他这样做并不是怀上品德的影子，因为他接触的并不是影子，而是真东西，是真的东西被他摸到了？谁怀上了、生下了并且抚养了真的品德，就为诸神所喜爱，如果人能得以不朽，他一定会成为不朽的。’

B “裴卓和在座的各位啊，这就是狄欧蒂玛向我说的那些话,我对她心悦诚服,我也努力使别人相信:要达到这个目的,一个凡俗的人很不容易做到,只有靠爱神帮助才行。因此我认为人人都应当尊敬爱神,并且自己也身体力行,尊敬一切与爱有关的事情,充满热情地这样做,而且激起别人这样做的热情,我现在和将来都尽可能地歌颂爱神的权力和威灵。裴卓啊,我的这番话,你把它称为 C 爱神赞也好,给它另外取个名字也好,都随你的便。"[①]

苏格拉底说完之后,大家纷纷称赞,只有阿里斯多潘想辩几句,因为苏格拉底提到了他本人说的话。可是这时突然有人敲打外面的大门,一伙人挤进来大呼小叫,还可以听到一个吹笛子女人的声音。于是阿伽通说:"小子 D 们,就没人去看看吗?要是有老朋友就请他进来,要是没有就说我们已经不喝了,正要休息。"

---

① 苏格拉底的颂辞是全篇三大段的中段,也是全篇精义所在。它本身分两部分:和阿伽通的对话以及和狄欧蒂玛的对话。在和阿伽通的对话里,他说明了:(一)爱情必有对象;(二)钟爱者还没有得到所爱的对象;(三)爱情就是想占有所爱对象那一个欲望;(四)爱情的对象既然是美,如阿伽通所说的,它就还缺乏美,"爱神是美的"一说不能成立;(五)美善同一,所以爱神也不是善的。这样苏格拉底就把阿伽通的一篇大文章完全推翻了。接着他说他的爱情学问是从女巫狄欧蒂玛那里领教来的。他原来和阿伽通一般见解,她纠正了他。她使他明白:(一)爱神是介乎美丑、善恶、有知与无知、神与人之间的一种精灵,是丰富和贫乏的统一,总之,就是一个哲学家;(二)爱情就是想凡是美的善的永远归自己所有那一个欲望;(三)爱情的目的是在美的对象中传播种子,凭它孕育生殖,达到凡人所能享有的不朽:生殖就是以新代旧,种族与个体都时时刻刻在生灭流转中。这种生殖可以是身体的,也可以是心灵的。诗人、立法者、教育者以及一切创造者都是心灵方面的生殖者;(四)爱情的深密教,也就是达到哲学极境的四大步骤。

不多一会儿就听到前院有阿尔基弼亚德[①]的声音,他喝得醉醺醺的,大声问阿伽通在哪里,要人带他去见阿伽通。于是他们把他领到阿伽通面前,有个吹笛子的女人 E 扶着他,还有几个跟随他的人一道。他在门口站着,头上戴着一个用常春藤和紫罗兰编的花冠,缠着许多飘带,说:"各位,你们好! 你们愿意让一个喝醉了的人来陪酒,还是让我们达到给阿伽通戴花冠的目的,戴上了就走?因为昨天我有事没能来,现在来了,头上戴着飘带,准备把它从我头上拿下缠到这位最智慧、最美好的人头上,我 213A 认为他就是这样的人。你们笑我喝醉了吧? 尽管你们笑,我是说真话的。那就请你们告诉我:我在这种情况下该不该进来? 你们是不是愿意一同喝酒?"大家嚷着欢迎他,请他入座。

阿伽通也表示邀请他。他走了进来,由那些人带领着,同时取下飘带,要给阿伽通缠上,尽管他走到苏格拉底面前,却没有看见他,就在阿伽通身旁坐下,坐在他和 B 苏格拉底中间,因为苏格拉底挪开了一点,这样他才能坐下。他坐下之后就向阿伽通致敬,给他加冠。阿伽通说':"小子们,给阿尔基弼亚德脱下鞋,让他舒舒服服地待在这里陪着我们两个一起喝。"阿尔基弼亚德说:"好

---

① 'Αλκιβιάδης,雅典人,虽然爱从苏格拉底听教,却轻浮好名,终于出卖雅典。

啊，这同我们两个一起喝酒的第三位是谁呢？”这时他转过身来看见了苏格拉底。他一看见他就跳起来嚷道：“天哪！怎么一回事？你苏格拉底又在这里埋伏着，像往常一样总是突然出现在我面前，教我大吃一惊，这回你想干 C 什么？你为什么正好待在这里？你不坐在阿里斯多潘身边，也不坐在什么逗乐的人和想逗乐的人旁边，偏偏跑到这里最漂亮的人身边待着！”

这时苏格拉底说：“阿伽通，请你设法保护我。因为我和这个人的爱曾经给我带来不小的麻烦。从我喜欢这 D 个人的时候起，我就不能看任何漂亮人一眼，跟他说句把话，否则这人就大吃其醋，用恶毒的办法虐待我，不伸手打我就是好事。你看，现在他的老毛病又发作了，如果他动武，请你帮帮我。因为他的癫狂和妒忌使我发抖。”

阿尔基弼亚德说：“我们两个人和解不了。你现在说 E 出求救的话，我就等下次再惩罚你。现在阿伽通啊，请你把飘带拿下来，我要把它缠到这一位的绝妙的脑袋上，让他不要责备我，说我给你加了冠，而他这个人在辞令上胜过所有的人，不仅这一次和你一样得到胜利，而且永远不败，却还没有得以加冠。’于是他立刻拿下飘带缠在苏格拉底头上，然后舒舒服服地喘了一口气说：‘来吧，诸位。我看你们都是清醒的，这不行，你们得喝酒，因为这是我们原来约定的事。现在我就来行令,一直到你们全都喝够为止。阿伽通拿出大杯子吧,要是有的话。也许用不214A 着拿大杯,小子,你去把那个量酒的坛子拿来,看来一坛盛八两多。'他把酒坛斟满,先自己一饮而尽,然后叫人给苏格拉底斟上,说道:'诸位,对于苏格拉底,这点酒我看算不了什么,因为你要他喝多少,他就把它喝干,不会醉的。"

苏格拉底接着小厮递上的酒一饮而尽。鄂吕克锡马B 柯说:"阿尔基弼亚德啊,怎么这个喝法?我们愿意光喝酒,也不谈话,也不唱歌,像渴极了的人那样牛饮吗?"

阿尔基弼亚德说:"鄂吕克锡马柯啊,你这位世界上最杰出的父亲生的最杰出、最明智的人,我向你致敬!"

鄂吕克锡马柯说:"我也向你致敬,你说我们怎么办?"

"你发命令,大家服从你,

因为行医的人胜过其他的人[①]。

你照你的意思开方子吧。"

鄂吕克锡马柯说:"你听着,我们在你进来之前已经C 商定,从左到右,顺着这个次序,每个人都得做一篇颂辞,

① 见《伊利亚特》,XI,514。

颂扬爱神，要尽可能做得美好。我们这些人都做过了，只有你还没做，却喝了酒，所以你得做，做完之后再出个题目让苏格拉底做，他说完再给他的右邻出题目，这样一直轮下去。”

阿尔基弼亚德说：“这个办法非常好。可是让一个喝醉了的人和清醒的人比口才，有点不公平！而且，你真的 D 相信苏格拉底刚才说的那番话吗？你知道完全是另外一回事吗？我要是当着他的面称赞他以外的某个神或者某个人，他是不能忍受，要对我动手的。”

苏格拉底说：“你别说废话！”

阿尔基弼亚德说：“波塞洞[①]在上，你可不能否认我提出的事情！因为我永远不能当着你的面颂扬某个别人。”

“鄂吕克锡马柯说：“那你可以那么办，就是称赞苏格拉底。”

阿尔基弼亚德说：“你这话是什么意思？鄂吕克锡马 E 柯，你是想着我应该这么办，当着你们的面报复他一通吗？”

苏格拉底说：“你这是什么意思？是想用讥讽的方式把这个人夸一顿，还是有什么别的用意？”

“我会说真话，你让我说吗？”

---

① Ποσειδῶν，海神。

他说:“那当然,我不但让你说,还敦促你说真话哩。”

阿尔基弼亚德说:“我为什么不开口?你可要真的做到。只要我说了一点不真实的事,你就可以立刻打断我 215A 的话,说我说了假话。因为我是不会成心说瞎话的。可是,我要是像现在这样东一句,西一句,一会儿说这,一会儿说那,请不要见怪。因为像我现在这样昏昏沉沉的,要把你那些奇事原原本本地有条有理地和盘托出,是很不容易办到的。

“所以,要称赞苏格拉底,我想得用一些比喻来表示。他也许认为这是用讥讽的方式,可是我必须用比喻来表 B 达实情,根本不是讥讽他。我说他外表很像雕刻铺子里陈列的那些西勒诺雕像[①],匠人把他们刻成手拿牧笛或笛子,身子由两半合成,掰开就看到肚子里撑着一些神像,所以我说他活像林中仙子玛尔叙阿[②]。说你外貌有如林中仙子,苏格拉底啊,你自己也不会辩驳的。此外你还有类似林中仙子的地方,且听我说来。你不是非常放肆吗?要是你不承认,我可以提出证据来。你不是会吹笛子吗? C 确实吹得比那个仙子还要高明!那个仙子的嘴用乐器施展魔法,把人们吹得神魂颠倒;现在还是这样,谁演奏他

① Σιληνός,森林仙子的一种,是酒神的侍从,塌鼻,鼻孔朝天,喜爱酒色,苏格拉底的相貌就是这样。

② Μαρσύας,林中仙子(Σάτυροι)之一。

的曲子，就能迷人。因为奥林波[1]用笛子吹的调子，我说就是玛尔叙阿所传授的。他的调子，不管吹奏的是高明笛师，还是蹩脚吹笛女，就能使人神往，就能显示出谁能蒙神庥，因为它是神圣的。你与玛尔叙阿的区别就在于你不用乐器，单凭言语就能产生同样的效果。如果我们 D 听到别的出色的演说家所讲的话，我们并不会对此心悦诚服。可是一个人如果听到了你本人的话，或者听到别人转述你的话，尽管转述的人口才不佳，听的人不管男女老少都会为之神往。

"诸位，也许你们会以为我醉后失言，我还是要向你们担保说，这个人的言论对我影响很大，而且现在还发生影响。因为我一听到他的讲话就心跳不已，眼泪夺眶而 E 出，胜过为哥汝拔[2]舞所激动。我们也看到许多别的人也是这样。我听贝里格勒等等大演说家讲话时虽然觉得精彩，却从来没有听他讲话时的那种经验，没有神魂颠倒，不能把握自己，有如处在奴隶状态之中。听了这位玛尔叙阿，我觉得心情激动，认为现在这样活着还不如不活。216A 苏格拉底啊，这话你也不能说不真实。就是现在我也完全知道，我只要一听就不免那样激动。他逼我承认自己还有许多缺点，由于关心雅典的事务，却放松了自己的修

① ῎Ο λυμπος，著名乐师。

② Κορύβας，小亚细亚的酒神祭司，祭神时狂舞。

B 养。因此我强迫自己躲开他,就像掩耳不闻瑟壬[①]的歌声一样,以免一直在他身旁坐到老。我在别人面前从来没有感到自己有愧,羞愧是我身上找不到的,只有在这个人面前除外。因为我完全明白,当着他的面我不能违反他,必须照他教导的做,可是一离开他,听到人家花言巧语,我就打熬不住,被名缰利索拖跑了。因此我躲开他跑得C 远远的,一见到他就想起自己的诺言羞愧得无地自容,甚至常常希望他不复存在于人间,可是如果他真的死了,肯定我会无比痛苦,所以我不知道应该拿这个人怎么办。

"我和许多别人就是这样被林中仙子用笛声戏弄了。请你们再听听,他多么像我给他打的比方,以及他具有多D 么神奇的法力。因为你们中间谁也不了解他,而我是亲眼见到他的,愿意为你们把他描绘一番。要知道,苏格拉底是迷恋美少年的,总是围着他们转,向他们献殷勤,而且做出完全无知、没有心眼的样子;这岂不活像西勒诺吗?确实如此。但这只是做出来的外表,正如刻出来的西勒诺一样,把他掰开一看,列位酒友们,不是看到其中E 充满着智慧吗?要知道,他不在乎一个人是不是美,对这一点看得很轻,轻到人家无法相信,也不在乎一个人是不是有钱,是不是有世人所看重的那些长处。他倒是把这

---

① Σειρήν,海岛上的仙女,以歌声引诱过客登陆,把他们化为牲畜。见《奥德赛》Ⅻ。

些东西看得不值一文，我跟你们说，他把我们看得不值一文，做出愤世嫉俗的样子，一辈子都在讥嘲世人。可是当他认真地推心置腹的时候，谁都看见他肚子里的那些神像。这些神像我看到过一次，它们非常神圣地、金光闪闪 217A 地、无比美好地、奇妙地向我走来，使我感到必须五体投地地去遵照苏格拉底的愿望做。

“我以为他认真地迷上了我的年轻美貌，感到这是我走上了好运，在得到苏格拉底欢心的时候就可以听到他所知道的一切。因为我对自己的美貌十分自信。由于有这种思想，我从前总是带着随从来看苏格拉底的。有一次我让随从走开，单独和他在一起。现在我必须把全部真相和盘托出，所以要请你们仔细听，如果有一句话不真 B 实，苏格拉底，请你立刻反驳。诸位，就只有我们两个人在一起，我以为他该和我说几句情人对爱人私下说的私房话，心里乐滋滋的。可是他一句都没说，还跟平常一样，和我待了一整天就走了。以后我邀请他和我一同做 C 体育锻炼，我和他交手练拳，心想这回可以达到目的。他和我练了几个回合，没有别人在场。我该怎么说呢？我毫无进展。既然这回还是不行，我打算用强制手段逼他一下，既然开了头就不能放手，看看到底会怎样。我请他 D 吃饭，像一个情人追求爱人那样。他没有立刻同意，后来勉强答应了。第一次他来了，吃完饭就要走，我不好意思，就让他走了。第二次我想了个计策，和他从饭后一直谈到深夜，他要走的时候我借口太晚了，硬把他留下。

“于是他就躺在他吃饭时坐的那个垫子上，与我并榻E 而卧，只有我们两个，并无旁人在屋里。到此为止，凡是说的出口的都说了；下面我要说的你们在一般情况下大概不会听到，因为只有酒（加上或不加上小子）才说真话，况且在颂扬苏格拉底的时候把他的一件辉煌的行为瞒下不说，我觉得不对。我是一个被蝮蛇咬了一口的人，据说这样的人不肯把自己的遭遇告诉任何人，除非那人也同218A 样被咬了一口，能够了解和谅解他所做的事和迫于痛苦而说出的话。我被重重地咬了一口，而且咬在最要紧的地方，这地方可以称为心脏或灵魂，也可以用别的名字称呼它，我在那里被爱智的言论咬伤了；这种言论一抓住一个年轻的、天真无邪的灵魂，就比蝮蛇更猛烈地吸住了B 他，使他无论做什么、说什么都随它摆布。现在我当着你们的面，当着阿伽通、鄂吕克锡马柯、包萨尼亚、阿里斯多兑谟和阿里斯多潘（还用得着说苏格拉底本人吗?），以及其他所有的人，你们这些人都是饱尝爱智的怒火和狂热的，应该能听得进我的话，因为你们会谅解我当时的行为和今天的言语。至于佣人们以及那些局外人和粗鲁人，把大门关紧不让他们听见吧。

“诸位，现在灯灭了，佣人都出去了，我想也不用跟他转弯抹角了，我不妨把心里话直截说出来。我推了他一下，说：‘苏格拉底，你睡着了吗？’——他说：‘还没有。’——‘你知道我心里想什么吗？’——他说：‘你想什么？’——我说：‘我以为只有你配做我的情人，可是我觉得你有顾虑，不好对我开口。我思谋着如果不肯满足你的要求，不管是你有求于我的还是有求于我的朋友的，那我就太傻了。因为对我最重要的事情无过于尽可能提高自己的修养，而能在这方面帮我一把的我认为只有你。所以，我如果不肯满足你这样一个人的要求，在明智的人看来，其可耻有甚于满足一大堆庸人的要求。’他听了这话之后，用他惯常的那种讥讽的、天真的味道说：‘亲爱的阿尔基弼亚德啊，要是真像你说的那样，要是我真有那样一种本领能使你提高修养的话，看来你并不傻。要是那样，你就是看到了我有一种十分惊人的美，比你的美貌高明得多。如果你看到这一点，要想与我共有它，用美来换美，那你就是打定主意不让我占便宜，想拿黄铜换金子[①]。可是，我的好人儿啊，你得认真考虑一下，看看你是不是弄错了，实际上我根本没有那种本事。要在肉眼失去敏锐的时候，灵眼才开始烛照，你离这种状况还远哩。’——我说：‘我这方面已经把心里话都说了。你考虑怎样做对

C D E 219A

① 见《伊利亚特》，VI，235。

B 你和我最好。'他说:'你说得很好,我们从现在起要好好考虑一下,看看在这件事和其他一切事情上怎样办对我们最好。'这样一问一答之后,我以为我的箭可以说已经射出去了,相信我命中了他,就站起来不让他有说话的机会,把自己的外衣盖在他身上(因为冬天到了),自己爬到他的外套下面,张开双臂把这个神圣的、实际上又非常古C 怪的人搂住,就这样过了一夜。苏格拉底,你不能说我说谎吧!尽管我付出了一切努力,他却对我的美貌报之以蔑视和讥嘲,简直是放肆到极点。我要请诸位评评苏格D 拉底的这种放肆。凭着各位神灵和女神,我就这样跟苏格拉底睡了觉,无非如此,好像跟一位父亲或哥哥在一起一样。

"这以后我的心情如何,你们是可以想象的;我认为自己受了伤,却又叹服这个人的性格,他的明智,以及他的毅力,认为自己从来没有遇到过一个人有那么英明,那E 么坚强。因此我既不知道该怎样对他发火,怎样跟他分手,也不知道有什么办法把他拉过来。因为我完全知道,他不为黄金所动,不亚于艾雅[1]不为钢铁所伤。我相信自己只有一样东西能制服他,他却逃脱了我的掌心。所以我毫无办法,只有听人摆布,吃了从来没吃过的亏。

① Αἴας,伊利亚特战争中的英雄,有七层牛皮做的盾,不怕刀剑。

“这一切都是过去的事。后来我和他一同参加了波德代亚[①]战争，是同吃同住的伙伴。首先他表现得最能吃苦耐劳，不但比我强，而且胜过了所有的人。我们在战场上有时候被分隔开来，这是战时常有的事，我们断粮之后必须挨饿，忍饥挨饿的本事谁也比不上他。可是在供应充足的时候，唯有他懂得吃喝；他平常不大爱喝酒，在硬要他喝的时候却喝得比谁都多，说来奇怪，谁也没有见过苏格拉底喝醉了。关于这一点，我们现在也可以证实。在耐寒方面（那里冬天很冷）他更加惊人，总是毫不在乎，特别是有一回霜冻很厉害，别人要么不出去，要么在值勤的时候穿得厚厚的，脚上穿着鞋还裹着毡子和毛皮，而他却穿着平常的衣服往外走，光着脚和别人穿着鞋一样在冰上来去。其他的战士斜着眼瞧他，因为他不把他们放在眼里。

220A

B

“事情就是这样。

C

可是这壮士还做了、坚持了一件事情，[②]

这是当时还在军队里做的，很值得说给大家听一听。有一回他遇到一个问题，就站在一个地方从清早起开始沉思默想，由于没有想出头绪，就不肯放弃，仍旧站在那里

① Ποτειδαία，一个北部城市，本属雅典，后来叛变，因而雅典出兵平叛。

② 见《奥德赛》，IV，243。

钻研。到了中午，人家发现了这件事，非常惊奇，就一传十、十传百，说苏格拉底从清早起一直站在那里思考问题。最后到了傍晚，晚饭后有几个伊奥尼亚[1]人（由于当时是夏天）把铺盖搬了出来，想在露天睡得凉快些，同时看看他是不是在那里站着过夜。他一直站到清早太阳出山，然后向太阳作了祈祷才走开。

“你们也想知道他打仗的情况，这一方面也是值得向你们加以称赞的。有一个战役中将军给我颁发了奖章，而当时救我性命的不是别人，就是苏格拉底，他不肯丢下我这个伤员，就把我的武器和我本人顺利地救出来了。苏格拉底啊，当时我也曾请求将军们把奖章发给你，你也不会谴责这个请求，说我说了谎话，只是将军们重视我系出名门，一定要给我颁奖，而你比将军们更强烈地要求把奖章发给我，不发给你自己。诸位，特别值得提出的是我军在德利恩[2]败退时苏格拉底的表现。当时我骑在马上，他扛着重兵器徒步走。队伍被完全打散时，他才退却，和拉凯[3]在一起。我正好碰到他们俩，叫他们不要惊慌，说我不会丢下他们。那时候我可以清楚地观察苏格拉底，

① ’Iωνία，小亚细亚西岸希腊人殖民地区。

② Δηλίον，位于阿底迦边境，公元前424年雅典在此被特拜战败。

③ Δάχης，雅典军官。

比在波德代亚时看得更明白，因为我骑着马，心里不很害 B
怕；我发现首先他比拉凯镇定得多，其次，阿里斯多潘啊，我觉得他正像你写的那样，昂首阔步，瞪着两眼[①]环视着敌我双方；不管什么人都只能远远地看着他，如果有人碰他一下，准会遭到重重的回报。因此他们两个得以安然脱险。因为这样的人在战场上是不大有人侵犯的，被穷 C
追的只是那些抱头鼠窜之辈。

“除此以外，苏格拉底还有许多别的方面确实值得称赞。只是在其他的活动上，同样的话完全可以用到别的人身上，而苏格拉底这个人完全没有别人和他相似，无论是古人还是今人，这是十分惊人的事。因为说起阿启娄来，可以举出步拉锡达[②]等人来相比；说起贝里革勒[③]来， D
可以举出内斯多尔[④]和安德诺尔[⑤]来相比；还有一些别的名人，都可以用同样方式举出别的人物来相比；只有这个人十分奇特，无论在为人还是在言论方面，都找不出任何今天的人或古代的人来跟他相比，除非像我那样，不拿他和人比，而拿他比西勒诺们和森林仙子们。这一点我一起头就讲过，说他的言论活像那些造型欠雅的西勒诺们 E

① 见阿里斯多潘所著《云》362。这个剧本里讥嘲了苏格拉底。

② βρασίδας，斯巴达著名勇士，多次打败雅典军队。

③ Περικλῆς，雅典政治家，著名的民主派。

④ Νέστωρ，伊利亚特战争中希腊联军的著名谋士。

⑤ ’Αντήνωρ，伊利亚特战争中伊利亚特一方的著名谋士。

的模样。一听苏格拉底的言谈，就觉得很可笑，所用的字眼和说话是外面包的一层皮，就像林中仙子脸上刻得一团傻气一样。因为他说的是些驮货的驴子，是些铁匠、鞋匠和皮匠，总是把这类话说来说去，在任何没经验、少脑222A筋的人听起来只能是笑柄。可是一个开通人一看，往里头一照，就立刻发现这些话里面包含着思想，是十分圣洁的，其中充满着品德的形象，引向最崇高的目标，有助于追求美和高尚的人进行研究。

“诸位，这就是我称赞苏格拉底的话，又是我对他的B谴责，我也夹在一起向你们说了，因为我受了委屈。他不仅使我受委屈，也这样对待了葛劳贡的儿子卡尔弥德[1]，以及第欧格勒的儿子欧替德谟[2]还有许多别的人；他蒙骗他们，原来是爱他们的情人，后来不当情人了，成了他们所爱的爱人。阿伽通啊，我首先要给你打招呼，你不要受他的骗，要从我们吃的亏里变得聪明起来，要小心提防，不要像谚语说的孩子们那样吃一堑才长一智。”

C 阿尔基弼亚德说完之后，人们对他的坦率发出一阵大笑，因为看来他对苏格拉底还未能忘情。苏格拉底却说：“阿尔基弼亚德啊，看来你是完全清醒的，否则你不会D那样仔细地转弯抹角，来掩盖你说这番话的本意，就是把

---

① Χαρμίδης τὸν Γλαύκωνος.

② Εὐθύδημος τὸν Διοκλέους.

我和阿伽通拆开，因为你认为我只该爱你，阿伽通和另外一些人只能由你来爱，不能由另外一个人爱。只是你这层意思已经掩盖不住了，你这个西勒诺和林中仙子的把戏已经被大家识破了。亲爱的阿伽通啊，不要中他的计，要小心提防，不让任何人离间我们俩，”——于是阿伽通说：“你说的大概是实情，苏格拉底。我也猜到他夹到我 E 和你中间来，是想把我们俩分开。他不会如愿的，我来贴着你坐着。”——苏格拉底说：“那当然。你挨着我右边待着。”——阿尔基弼亚德说：“天哪，我怎么又遇到这个人！他以为自己一定会处处占我的上风。我的好人儿啊，还是让阿伽通至少待在我们俩之间吧。”——苏格拉底说：“那不行。因为你称赞过我，而我现在必须称赞我右边的人。如果阿伽通坐在你右边，他就应该把我重新称赞一次，而他倒是我还没有称赞的人。就让他那样吧，请不要 223A 妒忌年轻人受到我的称赞；因为我有强烈的愿望要颂扬他一番。”——阿伽通说：“哎呀，阿尔基弼亚德啊，我现在绝不能原地不动，必须换个位置，好让苏格拉底颂扬我。”——阿尔基弼亚德说：“还是老样子，只要有苏格拉底在场，别人休想接近一个美少年。现在他又找到了一个轻松的、好像有道理的借口，声称阿伽通必须挨着他坐！”

B 阿伽通站起身来，要坐到苏格拉底旁边。突然有一大群酒徒来到门前，由于正好有人出去，大门开着，他们就一哄而入，坐下来喝酒。大家一阵喧哗，毫无秩序地彼此劝酒，喝得不可开交。

据阿里斯多兑谟说，鄂吕克锡马柯、裴卓和另外几个C 人走了，他自己也躺下睡了，当时夜很长，他睡了许久。天亮鸡叫的时候他醒了，看见别人走的走了，睡的睡了，只有阿伽通、阿里斯多潘和苏格拉底还是醒的，用一个大杯子从左传到右喝着酒，苏格拉底和他们俩谈论着。谈D 的内容阿里斯多兑谟说他记不清了，因为他不是从头听的，而且他当时正昏昏欲睡。主要是苏格拉底要想迫使他们承认同一个人既能写喜剧又能写悲剧，一个有才华的悲剧作家也是喜剧作家。他们俩被迫同意这种看法，并不是真正同意，都开始打盹了。阿里斯多潘先睡着，到天大亮的时候阿伽通也睡着了。

苏格拉底在这两个人入睡之后就站起来走了，还是按照惯例由阿里斯多兑谟陪着。他走进吕格恩[①]，洗了个澡，像平常一样在那里度过了一整天，傍晚才回家休息。

---

① Λύκειον，著名的花园，内有体育场。后来亚里士多德在此办学。

图书在版编目(CIP)数据

会饮篇/(古希腊)柏拉图著;王太庆译.—北京:商务印书馆,2013 (2017.12 重印)
(汉译世界学术名著丛书)
ISBN 978-7-100-09401-6

I.①会… II.①柏…②王… III.①柏拉图(前 427～前 347)—美学思想 IV.①B502.232②B83-095.45

中国版本图书馆 CIP 数据核字(2012)第 213582 号

汉译世界学术名著丛书

会 饮 篇

〔古希腊〕柏拉图 著

王太庆 译

商 务 印 书 馆 出 版

(北京王府井大街36号 邮政编码 100710)

商 务 印 书 馆 发 行

北 京 冠 中 印 刷 厂 印 刷

ISBN 978-7-100-09401-6

2013 年 1 月第 1 版　　开本 850×1168 1/32

2017 年 12 月北京第 6 次印刷　　印张 2¾

定价: 12.00 元